D'OMBRES et
de **LUMIÈRE**

K.C. WELLS

D'ombres et de lumière

Chapitre 1

Septembre

Qu'est-ce qu'ils disent déjà ? Qu'on ne peut jamais changer ce qui s'est passé ?

Malheureusement, en ce qui concernait Horn Ponds, ils avaient raison. Stephen Taylor resta près de sa voiture, sur le parking de Lake Avenue, essayant d'oublier le bruit de la circulation le long d'Arlington Road.

C'est bien pire que lorsque nous étions gamins.

Est-ce que ça a toujours été aussi bruyant ?

L'idée que Jamie et lui aient pu traverser la route achalandée avec toutes ces voitures qui roulaient vite avait toujours fait flipper leurs mères, ou en tout cas c'était ce qu'ils prétendaient, puisque ça faisait partie de l'aventure à l'époque.

Stephen n'était pas certain d'apprécier de le refaire aujourd'hui. La dernière fois qu'il avait visité cet endroit, il avait treize ans et s'était senti misérable. Même Jamie avait paru abattu, ce qui ne lui ressemblait absolument pas. Bien sûr, à l'époque, ça avait tout à voir avec le fait qu'ils étaient sur le point d'être séparés par tout le continent américain.

Stephen sourit. Cela faisait longtemps qu'il n'avait

pas pensé à Jamie Lithgow. Ce qui était assez triste, vu à quel point ils avaient été inséparables à l'époque. Ils avaient pratiquement vécu dans la maison l'un de l'autre depuis qu'ils avaient six ans. Ils n'avaient pas de frères, seulement une sœur chacun, ce qui expliquait peut-être pourquoi ils avaient été si proches.

Ils auraient pu passer leur vie entière comme ça... s'il n'y avait pas eu la mutation de son père.

Je me demande où se trouve Jamie maintenant ?

Treize années s'étaient écoulées depuis qu'ils vivaient tous deux sur Ravin Road à Winchester, au nord du centre-ville de Boston. Pour ce que Stephen en savait, Jamie pouvait encore y vivre, même s'il en doutait. Il était forcément allé à l'université, puis avait dû épouser une femme avant de s'installer quelque part. Il pouvait même avoir des enfants à l'heure actuelle. Quand Stephen avait appris que son père avait décidé de lancer sa propre société de comptabilité à Boston, l'idée de partir à la recherche de Jamie lui avait traversé l'esprit. Il était curieux de savoir comment « le garçon aux yeux rieurs », comme sa grand-mère l'avait toujours appelé, avait grandi.

Il ne savait toujours pas s'il allait donner suite à cette idée, sans vraiment être certain du pourquoi il hésitait ainsi. Puis il réalisa que sa pensée initiale à son arrivée en ces lieux avait été exacte.

Tu ne pourras jamais revenir en arrière.

C'était peut-être vrai, mais ça ne voulait pas dire pour autant que Stephen n'allait pas se consacrer avec nostalgie à ses souvenirs.

Il contempla les environs, soulagé de voir que la rampe de mise à l'eau était toujours là, tout comme la station de pompage. Et sur les eaux calmes de l'étang, les cygnes nageaient sereinement, accompagnés par une foule occasionnelle de canards.

Merde. J'ai oublié d'apporter quelque chose pour nourrir les canards.

Il sourit à nouveau. L'étang n'allait pas disparaître, et si son père ne lui en demandait pas trop, il aurait d'autres occasions de venir nourrir la faune qui vivait là.

Ou en tout cas, il l'espérait. Son père était terriblement excité au sujet de sa nouvelle entreprise, et Stephen soupçonnait qu'il y avait beaucoup de travail à l'horizon. Cependant, travailler était une bonne chose. Cela le distrayait... d'autres occupations.

Il s'avança jusqu'au lac et se tint debout un moment, se contentant de contempler l'étendue des eaux calmes. Là où la lumière du soleil se répercutait, elle était si brillante que cela lui fit mal aux yeux, même en portant ses lunettes de soleil. Pour ce qui était de la direction à prendre, c'était facile... le chemin à gauche, qui s'éloignait d'Arlington.

Stephen se rappela les nombreuses fois où Jamie et lui avaient couru le long du sentier qui serpentait le long des bords du lac, sous les arbres, sa surface en grande partie pavée, mais avec quelques endroits plus délicats de temps à autre. Au moins, tout ceci n'avait pas changé. Le feuillage était un peu plus dense, mais l'ombre fournie par la canopée était très agréable. Les couleurs d'automne commençaient déjà à se manifester, et cette vision lui apporta une légèreté inattendue. L'automne était sa saison préférée.

Jamie avait été celui qui avait toujours le plus

apprécié la beauté naturelle de cet endroit : tout ce que Stephen en avait perçu à l'époque, c'étaient des arbres et de l'eau. Mais après tout, Jamie avait toujours été le plus créatif et artistique des deux. Il était probablement devenu designer d'intérieur, ou artiste, ou une autre carrière tout aussi esthétique. Peut-être qu'il voyait les choses différemment, maintenant qu'il avait vieilli, même si vingt-six ans ne pouvaient guère être considérés comme un âge canonique. Toutefois, Stephen ne pouvait nier qu'il appréciait la beauté de l'étang plus qu'il ne l'avait jamais fait lorsqu'il était enfant.

Il marcha tranquillement le long du sentier, sachant exactement où cela allait le mener : Lion Park. Un endroit où le sentier était plus étroit et contournait une clairière en forme de poire avec des bancs à intervalles réguliers, faisant face vers l'intérieur, et donc vers la pelouse, à une statue de lion dissimulée au centre d'un amas d'arbres. Il se rappela le jour où Jamie s'y était présenté avec une épée en plastique, parce qu'il voulait faire semblant d'être Peter du livre « *Le Lion, la Sorcière blanche et l'Armoire magique* ».

Ils avaient grimpé sur le dos du lion et hurlé des choses comme : « Là-bas, Aslan ! Attrape la sorcière ! Mords-lui le cul ! ».

Si ce lion avait réellement bougé, on se serait tous les deux chié dessus.

Et si leurs mères les avaient entendus proférer des jurons, ils auraient été incapables de s'asseoir pendant une semaine.

Lorsqu'il atteignit la clairière, Stephen soupira. Certains des arbres qui avaient entouré le lion avaient été abattus, le laissant visible d'un côté.

Il était beaucoup mieux derrière les arbres, pensa-t-il tristement.

Ils prétendaient qu'il était accroupi, prêt à bondir sur des passants inconscients. Dans sa tête, il parvenait encore à voir Jamie ramper vers les arbres, affichant ce grand sourire qui ne semblait jamais le quitter.

Seigneur, ma tête est remplie des souvenirs de Jamie aujourd'hui.

Ce qui n'était pas vraiment surprenant. Cette visite en ces lieux avait ouvert les vannes, et ses souvenirs s'envolaient, s'écrasant sur lui comme le ferait un torrent. Stephen avait adoré sa vie à Boston, et les six premiers mois après leur arrivée en Californie avaient été terriblement difficiles pour lui. Il avait détesté sa nouvelle école, le climat, mais surtout, il avait détesté devoir quitter Jamie.

On aurait dû rester en contact.

Cela lui soutira un grognement. Ils n'étaient que des enfants, pour l'amour de Dieu. Les adultes auraient pu fournir un effort pour maintenir le contact, mais des garçons de treize ans ? Il s'était passé trop de choses dans la vie de Stephen, et il devait supposer qu'il en était de même pour Jamie. Les cinq années de lycée suivantes étaient passées à une vitesse folle, et bien qu'il se soit fait des nouveaux amis, il n'avait jamais accepté quelqu'un dans sa vie comme il l'avait fait avec Jamie.

Mon meilleur ami.

Non, il n'y avait jamais eu personne qui s'était approché d'un tel statut depuis qu'ils avaient été séparés. Stephen arrivait à se souvenir de la façon dont il s'était plaint encore et encore lorsque son père lui avait annoncé la nouvelle de sa mutation. Un autre État aurait déjà été assez mauvais, mais la distance entre Boston et San Diego avait été trop immense pour ne serait-ce qu'être envisagée par un gamin de son âge. Il n'avait pas laissé échapper de larmes, du moins pas dans un endroit où quelqu'un avait pu les voir… Parce que depuis quand les petits garçons de treize ans pleuraient-ils ? Il n'avait très certainement pas quémandé de câlins et s'était contenté de rester assis à l'arrière du taxi alors qu'ils partaient pour l'aéroport, regardant par la vitre arrière Jamie qui se tenait sur le trottoir à le saluer.

A-t-il trouvé un autre meilleur ami ?

Non pas que Stephen aurait voulu que Jamie soit malheureux, mais il espérait que lui aussi avait eu du mal à survivre à leur amitié.

Stephen s'approcha de la statue en observant l'homme qui se trouvait devant, dans un fauteuil roulant, dos à lui. D'après ce que Stephen pouvait apercevoir de lui, cet homme dessinait la tête du lion, son croquis en équilibre sur les accoudoirs de son fauteuil. Il semblait absorbé dans sa tâche, et Stephen fit de son mieux pour s'approcher tranquillement. Il était curieux de voir son travail sans pour autant le déranger. Alors qu'il se rapprochait, l'homme tourna la tête dans sa direction.

— Je m'attendais au moins à ce que tu sois habillé comme un ninja…

L'homme écarquilla les yeux et ouvrit grand la bouche.

— Stephen ?

Putain de merde ! C'était Jamie. Plus vieux, un peu

plus marqué par la vie, mais c'était définitivement Jamie.

— Oh mon Dieu !

Stephen cligna des yeux à plusieurs reprises, mais force était de constater qu'il s'agissait bien de Jamie Lithgow assis là, devant lui, à le dévisager avec un étonnement évident. Ses cheveux arboraient le même noir corbeau qu'avant, mais son visage était plus maigre que ce dont Stephen se souvenait.

Puis Jamie lui sourit, et les treize années qui s'étaient écoulées entre-temps disparurent. Son sourire n'avait pas changé le moins du monde.

— Eh bien, que s'est-il passé ? Stephen Taylor a poussé comme un haricot magique. Que t'ont-ils fait là-bas, en Californie ? T'ont-ils saupoudré de poudre magique ?

Ses yeux brillaient.

— Va te faire foutre, tête de nœud.

L'insulte si souvent utilisée auparavant franchit la barrière de ses lèvres sans la moindre hésitation. Il éclata de rire.

— Mon Dieu ! Je n'avais pas dit ça depuis une éternité.

— Tu veux dire que tu n'as connu personne là-bas, sur la côte ouest, pour t'embêter comme je l'ai fait ? Ah, mon pauvre. Comme tu as dû souffrir.

Cette étincelle de malice n'avait, semble-t-il, pas quitté les yeux de Jamie. Ce dernier s'enfonça soudainement dans son fauteuil. Stephen baissa machinalement son regard dans cette direction.

— Pourquoi te retrouves-tu dans cet engin ? Et depuis combien de temps ?

Dès que les mots lui échappèrent, Stephen les regretta.

— Désolé. C'était impoli de ma part.

Jamie haussa les épaules.

— Si tu n'avais pas posé la question, je me serais demandé « qui est ce type et pourquoi porte-t-il un masque qui ressemble au visage de Stephen ? ». Pour te répondre, c'est une longue histoire.

— J'ai tout mon temps, laissa-t-il échapper.

Il était toujours sous le choc d'être tombé sur Jamie dans l'un de leurs repères préférés. De plus, il ne comptait aller nulle part avant d'en savoir plus sur ce fauteuil roulant. Il croisa son regard.

— Je ne peux pas croire que tu sois ici. Je pensais justement à toi, je me rappelais l'époque où nous étions enfants.

Jamie lui jeta un regard réfléchi.

— Le Boston King Coffee n'est pas loin d'ici et ils ont un excellent muffin à la framboise et au chocolat blanc. Leur café moka est à mourir. Si jamais tu as envie d'aller quelque part pour discuter.

Stephen hocha la tête. Il avait environ un million de questions. Il observa le fauteuil roulant.

— Est-ce qu'il se replie ? Je pense que je peux le ranger dans mon coffre.

Les lèvres de Jamie tremblèrent.

— Ne t'inquiète pas. Il se replie très bien. Et je vais me servir de ma voiture, merci bien.

Il cligna encore des yeux.

— Tu conduis ?!

Il se sermonna mentalement. Il n'avait pas voulu

que ça sorte comme ça. Il enchaînait les bourdes à vitesse grand V. Jamie ricana.

— Est-ce que tu vois un tuyau d'échappement sur ce truc ? Bien sûr que je conduis. Laisse-moi juste ranger mes affaires.

Il referma son carnet de croquis, mais Stephen l'arrêta.

— Est-ce que je peux regarder ?

— Bien sûr.

Jamie lui tendit le bloc-notes, et Stephen observa le dessin complexe réalisé au crayon.

— Waouh. Tu as toujours été du genre artistique, mais ça… c'est incroyable.

C'était comme contempler une photo en noir et blanc. C'était terriblement réaliste.

— Eh bien, merci.

Jamie récupéra son bloc-notes et le ferma, avant de le glisser dans un grand sac en cuir qui se trouvait sur ses genoux.

— Où est-ce que tu es garé ?

Lorsque Stephen désigna la direction d'un signe de tête, Jamie fit pivoter son fauteuil.

— Moi aussi. Allons-y. J'allais prendre un café de toute façon.

Ses mains étaient protégées par des mitaines.

— Est-ce que… je dois te pousser ?

Stephen ne savait pas comment agir. Jamie fronça les sourcils.

— Pourquoi voudrais-tu faire ça ? À moins, bien sûr, que tu nourrisses ce rêve de toute une vie de pousser un fauteuil roulant. Je détesterais mettre fin à tes rêves, mais ce n'est pas aussi excitant qu'on te l'a fait croire.

Stephen renifla.

— Je vois que tu as toujours le même sens de l'humour.

— Sérieusement, je suis un vrai pilote.

Il afficha encore ce grand sourire.

— Je pourrais probablement te battre à la course.

Il jeta un coup d'œil aux jambes de Stephen.

— Mais encore une fois…

Il empoigna les roues de son fauteuil et s'éloigna, prenant la direction du chemin qui menait au parking. Stephen marcha à ses côtés, essayant de rassembler ses pensées.

— Alors, où est-ce que tu vis maintenant ?

Et pourquoi tu ne m'as rien dit ?!

Cette dernière pensée était malvenue et égoïste, bien sûr. Il fallait être deux pour maintenir une amitié, et il avait été aussi mauvais que Jamie pour garder le contact.

Et après tout, comment aurait-il su où me joindre ?

— On répondra à toutes ces questions en prenant un café. Et tu ferais mieux de croire que j'en ai moi aussi. La première, c'est : que fais-tu à Boston ? Après quoi, nous aurons treize ans à rattraper.

Jamie ricana.

— Nous pourrions devoir rester dans ce café jusqu'à sa fermeture.

Ils se turent en continuant d'avancer vers le parking. Stephen observa l'avancée de Jamie. Que lui était-il arrivé ? Il ne semblait pas malade, et à en juger par la façon dont il tirait fermement sur les roues, il avait clairement de la force dans le haut de son corps. Ils atteignirent la corvette rouge de Jamie en premier, et alors qu'il regardait ce dernier soulever et déplacer ses jambes dans la voiture, puis replier rapidement le fauteuil, retirer les roues et placer le tout dans l'espace derrière le siège passager, il devint évident que c'était une routine habituelle.

Et il en était très clairement impressionné.

Jamie s'immobilisa, sa main sur la poignée de la portière.

— Pourquoi est-ce que tu ne grimpes pas dans ma voiture ? Je pourrai te reconduire ici juste après.

Il y avait cette lueur de malice dans ses yeux que Stephen connaissait bien.

— Je promets de ne pas conduire trop vite.

Stephen fut certain d'une chose à ce moment-là : Jamie Lithgow n'avait absolument pas changé.

Chapitre 2

Jamie roula sur la rampe jusqu'à la porte du café, Stephen juste derrière lui. Il bourdonnait encore.

Il est de retour.

Stephen Taylor était de retour. Le cœur de Jamie battait la chamade, tambourinant à tout rompre dans sa poitrine.

Et si je n'avais pas été près de l'étang ? Nous ne nous serions peut-être jamais revus...

— Attends, laisse-moi t'ouvrir.

Stephen entra et lui tint la porte ouverte. Jamie s'engouffra dans l'intérieur chaleureux et huma le parfum réconfortant du café et des autres délices sucrés. Derrière le comptoir, Dee lui fit signe, avant de venir déplacer une chaise pour qu'il puisse se garer à son endroit habituel. Elle lui tapota l'épaule.

— Ta commande habituelle ?

Jamie hocha la tête.

— Plus tout ce que voudra ce bel apollon.

Il avait l'impression qu'un simple clin d'œil suffirait à faire disparaître Stephen à nouveau. Puis il se rendit compte de ce qu'il avait dit. Il tourna vivement la tête vers son ancien ami.

— Désolé. Je n'aurais pas dû dire ça.

Stephen le regarda avec une surprise manifeste.

— C'est… tout va bien.

Puis, il lui sourit.

— Tu m'as déjà appelé bien pire que ça.

Jamie leva les yeux au ciel.

— Oui, mais j'avais une excuse à l'époque. J'étais un gamin.

Il fut soulagé par la réaction de Stephen. Pour lui, le surnom dont il venait de l'affubler avait une connotation gay, mais apparemment ça lui était passé au-dessus la tête, Dieu merci. Mais de là à savoir si cette description correspondait…

Jamie mit un frein à de telles pensées avant qu'elles ne deviennent incontrôlables. Stephen commanda un latté et le même muffin que lui, puis s'installa sur une chaise, dos au mur. Jamie attendit qu'il soit bien assis avant de caler son fauteuil roulant sous la table et de serrer le frein.

— Je suppose que tu viens souvent ici, commenta Stephen en jetant un coup d'œil à l'intérieur du café.

Jamie haussa les épaules.

— Seulement environ deux fois par semaine au cours des cinq dernières années. Depuis que j'ai déménagé à Woburn.

Stephen croisa son regard.

— Tu ne vis pas avec tes parents ?

Jamie fut content de ne pas être en train de boire. Sinon, il aurait recraché son café au visage de Stephen.

— Tu te fous de moi ? Quel type de vingt-six ans

saint d'esprit voudrait vivre avec ses parents ?

Bonjour le boulet !

Sauf qu'il était bel et bien un boulet, et il était assis sur la raison qui le prouvait. Non pas que *cette raison* l'empêcherait de regarder. Quelque part, sur cette terre, il y avait un homme qui ne flipperait pas à la vue de son fauteuil et de ses jambes non fonctionnelles, et il était décidé à le trouver.

Dee s'approcha avec leur commande, et lui adressa un sourire chaleureux.

— Merci, chérie.

— De rien, mon cœur.

Aussi simplement que cela, elle retourna derrière le comptoir.

— Mon cœur ? répéta Stephen en souriant.

Jamie fit glisser son majeur sur sa joue, comme il le faisait lorsqu'ils étaient enfants, et Stephen éclata de rire.

— Tu n'as pas grandi, pas vrai ?

— Alors que toi, tu n'as apparemment pas fini de grandir.

Mon Dieu, il ne pouvait pas croire à quel point Stephen était devenu grand. Il devait mesurer un mètre quatre-vingts. Cependant, ses yeux bleu-vert n'avaient pas changé. Jamie remarqua son teint pâle et sa mâchoire carrée. *Oh, mec, tu es devenu magnifique en grandissant. Tu as dû en briser des cœurs en Californie.*

Puis il fut obligé de sourire.

— Je vois que tu n'as toujours pas réussi à dompter tes cheveux. Ils font toujours ce qu'ils veulent ?

Les cheveux de Stephen se dressaient sur le dessus de son crâne comme ça avait toujours été le cas. Ce dernier ricana.

— Connard ! J'ai oublié de mettre du gel ce matin.

Jamie fit semblant de soupirer.

— Je vois que tu me parles toujours aussi délicatement.

À l'intérieur, il avait l'impression d'être aussi léger que l'air. C'était comme si leurs nombreuses années de séparation n'avaient jamais existé.

Il sirota son mocha, grimaçant un peu à sa chaleur.

— Alors, depuis combien de temps es-tu de retour à Boston ?

Et est-ce que tu comptes rester ?

— Quelques semaines. J'ai aidé maman et papa à s'installer dans leur nouvelle maison.

Jamie en resta bouche bée.

— Ils sont revenus ici ? Pourquoi ? Ont-ils fini par en avoir assez de San Diego et de tout son soleil ? Tu sais à quel point il fait froid à Boston en cette période ? Et à quel point il neige ici ?

Il sourit.

— Je crois me souvenir que tu adorais la neige. Attends, ce que tu aimais, c'est la mettre dans mon manteau et à l'arrière de mon pantalon.

Stephen leva ses mains en signe de reddition.

— Est-ce de ma faute si tu aimais porter des jeans amples ? Et ils sont revenus parce que mon père a lancé sa propre entreprise de comptabilité. Je vais travailler avec lui.

Il fallut un moment pour que ses paroles

s'enregistrent complètement, puis Jamie dut contenir sa joie. Stephen allait rester à Boston. Il se força à maintenir une apparence calme, jusqu'à ce qu'il se rende compte de la mine d'informations dont Stephen lui avait fait part. Jamie lui adressa un air faussement horrifié.

— Oh mon Dieu ! Tu es devenu… comptable.

Stephen lui jeta un coup d'œil.

— Qu'est-ce qui ne va pas avec les comptables ?

— Ils sont à peine plus évolués que les zombies, je suppose.

Garder un visage neutre fut un réel effort.

— Hé !

Stephen plissa les yeux.

— Le monde a besoin de comptables.

— Bien sûr, affirma Jamie. Autrement, nous raterions tellement de blagues sur les comptables.

Stephen renifla.

— Et combien de blagues de ce genre connais-tu exactement ?

Jamie afficha un grand sourire.

— Crois-moi, tu ne veux vraiment pas savoir. Mais changeons de sujet… parce que si nous parlons de comptabilité pendant trop longtemps, je serai arrêté pour m'être endormi dans mon fauteuil roulant… alors tu vas vivre avec tes parents ?

— Pour le moment, oui, jusqu'à ce que je trouve un endroit à moi.

Jamie s'essuya le front.

— Dieu merci. Tu deviendrais fou si tu devais y rester. À moins que ta mère soit devenue moins maniaque au cours des treize dernières années ?

— Ce n'est pas parce qu'elle t'obligeait à retirer tes chaussures lorsque tu entrais chez nous qu'elle est maniaque.

— Je suis d'accord avec toi. Je pensais davantage à sa manie de repasser tes sous-vêtements. Et de suivre le chat partout dans la maison avec un aspirateur. Je suis prêt à jurer qu'elle a presque aspiré Fluffy au moins une fois.

Stephen ricana.

— Tu te souviens du nom de notre chat ?

— Hé, ce chat m'aimait, reprit Jamie. Elle venait dans ta chambre chaque fois que j'étais là pour se blottir sur mes genoux.

— Est-ce que je peux te poser une question au sujet du fauteuil roulant ? lui demanda Stephen.

Jamie savait pertinemment qu'il ne pourrait pas éviter le sujet éternellement, il ne voulait tout simplement pas que Stephen se montre stressé et compatissant envers lui. Jamie n'avait pas besoin de la sympathie des autres, surtout pas en cet instant.

Il leva sa tasse et but une gorgée, avant de s'attaquer à son muffin. Lorsqu'il avala, il soupira.

— J'ai été renversé par une voiture quand j'avais dix-huit ans. Le conducteur était en état d'ébriété. J'ai subi une blessure à la moelle épinière. C'est tout.

Bien sûr que non, mais Stephen n'avait pas besoin d'entendre tous les détails. Même lui ne pensait plus à cette époque. Stephen resta calme pendant un moment.

— Il y a huit ans ? Pourquoi tu ne m'as pas contacté ?

Jamie fronça les sourcils.

— Bah oui, parce que j'avais ton adresse, puisque nous étions restés en contact constant depuis ton départ, pas vrai ?

Il était vraiment perplexe.

— D'ailleurs, pourquoi l'aurais-je fait ? Nous n'avions pas eu de nouvelles de toi, ou de tes parents depuis une éternité. Je veux dire, tu étais parti depuis cinq ans. Quel aurait été le but de t'appeler… en supposant que vous viviez encore à la même adresse… pour te dire que j'avais eu un accident ? Qu'aurais-tu fait ? Tu serais monté dans un avion ?

Il sourit à Stephen.

— Tu avais ta propre vie à mener.

Stéphane déglutit.

— Y a… y a-t-il une chance pour que tu puisses remarcher un jour ?

Jamie secoua la tête.

— C'est celui que je suis pour la vie désormais. Et c'est une bonne vie, ajouta-t-il rapidement. Ne va pas penser que je suis en difficulté, ou malheureux, ou tout autre adjectif négatif qui te viendrait à l'esprit. Je suis heureux, Stephen.

C'était la vérité. Il n'y avait qu'une seule chose qui rendrait sa vie parfaite, mais il n'y avait aucun signe de son Prince charmant à l'horizon. Et jusqu'à ce que ce dernier apparaisse, Jamie se contenterait de ses jouets et de ses nuits solitaires sur le canapé ou dans son lit.

Stephen retomba dans le silence et grignota son muffin. Jamie aurait donné n'importe quoi pour pouvoir voir à l'intérieur de son crâne à cet instant précis. Lorsqu'il ne supporta plus le silence, il le brisa de la seule manière dont il était capable :

— Sais-tu qu'il existe deux types de comptables ?

Stephen redressa le menton, les lèvres tremblantes.

— Oh, vraiment ?

Jamie hocha la tête.

— Ceux qui savent compter et ceux qui ne savent pas.

À son plus grand soulagement, Stephen s'esclaffa, et Jamie respira plus facilement.

— Quelle est la chose la plus méchante qu'un groupe de jeunes comptables puisse faire ?

— J'ai peur de demander.

Jamie lui adressa un grand sourire.

— Aller en ville et faire un audit des gangs.

Stephen leva ses mains en l'air.

— S'il te plaît, arrête.

— Seulement si tu acceptes de me revoir.

Il n'était pas question qu'il laisse Stephen sortir à nouveau de sa vie. Il voulait récupérer son meilleur ami.

— Tu le veux vraiment ?

Jamie se mit à rire.

— Tu plaisantes ? Il va me falloir au moins cinq autres rendez-vous dans un café pour épuiser mon répertoire de blagues sur les comptables.

— Quand tu présentes les choses comme ça, comment refuser ?

Stephen prit une autre bouchée de son muffin, avec plus d'enthousiasme cette fois-ci. Jamie avait un million de questions en tête, mais elles devaient attendre. Il savait que Stephen voudrait en savoir plus sur l'accident. À moins qu'il ait changé, puisqu'il avait toujours été très curieux étant enfant.

Avait-il tant changé que cela ? Stephen avait toujours été beau garçon, mais l'adulte l'était encore plus.

De qui je me moque ? Il est magnifique.

Et pourtant… il l'étudia de plus près. Était-il heureux ? Jamie ne parvenait pas à le savoir. Il espérait simplement que la vie de Stephen en Californie avait été bonne. Et qu'elle n'avait rien eu à voir avec la sienne.

Il savait que Stephen aurait du mal à croire qu'il était vraiment heureux, parce que qui pourrait croire qu'un homme en fauteuil roulant puisse l'être ? Toutefois, il l'était. Il avait son indépendance, des parents qui le soutenaient, une sœur qui aimait passer beaucoup de temps avec lui… les jours sombres du passé étaient loin derrière lui.

Et maintenant Stephen était de retour. Jamie devait se battre pour masquer son exaltation. Dès que les mots « tête de nœuds » avaient franchi les lèvres de Stephen, Jamie avait su que son meilleur ami était toujours là quelque part. Ça avait toujours été l'insulte préférée de Stephen, non pas que Jamie s'en soit jamais préoccupé.

— Tu vis seul ?

Jamie cligna des paupières et se reconcentra sur le moment présent.

— Hum ? Oh, oui. Je possède une maison non loin de l'étang.

— Il n'y a que toi ?

Jamie verrouilla son regard sur lui.

— Oui, juste moi. Et c'est le cas depuis que j'ai emménagé ici.

Malheureusement. Stephen ne répondit rien, mais continua à manger son muffin. Il ne fallait pas être un génie pour savoir ce qui se passait dans son esprit. Jamie avait rencontré beaucoup de gens qui semblaient croire qu'avoir un handicap signifiait devoir compter sur les autres. Eh bien, ce n'était pas son cas. Il pouvait prendre soin de lui-même, et il le faisait. Et il s'assurerait que Stephen le comprenait.

— Étant donné que tu vas rester ici, peut-être que tu pourrais venir voir l'endroit où j'habite, proposa-t-il sur une impulsion. Je pourrais nous préparer à dîner.

Les yeux de Stephen brillèrent.

— Tu sais cuisiner ?

Ça, c'était le Stephen dont il se souvenait.

— Oui, connard !

— Est-ce qu'on parle du même Jamie qui a raté sa médaille domestique au camp d'été ? Celui qui a mis le feu au…

— Je pensais que nous avions dit que nous n'en reparlerions plus jamais. Jamais.

Jamie lui adressa un regard noir.

— Dans ce cas, j'adorerais venir dîner un de ces jours. Je suis certain d'avoir le numéro des urgences sous la main.

Jamie le fixa, avant d'éclater de rire.

— Je vois que tu rattrapes le temps perdu. Je t'ai vraiment manqué, hein ?

Stephen soupira.

— Puis-je être honnête ?

Jamie s'immobilisa complètement.

— Bien sûr.

Stephen baissa les yeux vers son café au lait.

— Pendant les trois premiers mois, je n'ai pas cessé de demander à mon père si nous pouvions retourner à Boston. Pendant les trois mois qui ont suivi, tu m'as terriblement manqué. Ensuite, je me suis un peu habitué à ce que tu ne sois pas là.

Il leva la tête et croisa son regard.

— J'ai davantage pensé à toi aujourd'hui qu'au cours de ces douze dernières années. Dès que je suis sorti de ma voiture devant l'étang, tu étais là, comme si je n'étais jamais parti.

Jamie sourit.

— Pourquoi penses-tu que je m'y rends si souvent ? C'est là que je me souviens le mieux de nous.

— Nous.

— Oui, nous. Je pense que nous pouvons redevenir nous-mêmes, même si nous ne sommes plus des gosses.

Jamie l'espérait de tout cœur. Il avait vraiment besoin d'un ami. Il avait beaucoup de connaissances, mais personne n'avait vraiment été son ami, contrairement à Stephen.

Voudra-t-il de moi comme ami désormais ?

Seul le temps nous le dira.

— Je pense que nous avons encore beaucoup de choses à rattraper.

Jamie poussa intérieurement un soupir de soulagement.

— Je suis d'accord.

— Seulement… pas maintenant. Je ferais mieux d'y aller. J'ai dit à maman que je ne serais pas long. Je prenais seulement une pause après avoir déballé des cartons. J'ai l'impression que c'est tout ce que je fais depuis que nous sommes arrivés ici.

— Oh !

Jamie fit de son mieux pour cacher sa consternation. Il sortit son portable de sa poche et appuya sur l'onglet contact.

— Rentre ton numéro là-dedans.

Stephen s'exécuta, ses pouces se déplaçant sur l'écran.

— Je te ferai savoir quand je serai libre. Il est probable que je sois occupé au cours des prochaines semaines. Je n'ai réussi à m'échapper aujourd'hui que parce que nous sommes samedi.

Il sourit.

— Et il fallait que je m'éloigne de ces foutus cartons.

— Je travaille de la maison, alors mon emploi du temps est assez souple.

Jamie désigna son corps.

— Contrairement au reste de ma personne. Enfin, ce n'est pas tout à fait vrai. Tout mon corps est capable de bouger, c'est juste que certaines parties ne font pas ce que mon cerveau leur ordonne de faire. L'appel passe, mais ça ne répond pas.

Ses yeux scintillaient.

— Ça me rappelle quelques-uns de mes rendez-vous.

Plus d'un, malheureusement, mais il ne comptait pas partager ça.

— Comment peux-tu plaisanter avec ça ?

Stephen l'observa avec sérieux. Jamie ricana.

— Je le peux parce que c'est moi qui vais devoir vivre dans ce corps. D'accord ?

Pendant un instant, Stephen ne répondit rien. Puis, finalement, il hocha la tête.

— D'accord. Je suppose.

Il pencha légèrement la tête de côté.

— Que fais-tu dans la vie ?

Jamie ne put résister.

— Devine.

Stephen se mordit la lèvre.

— Peintre ?

D'accord, c'était inattendu.

— Sérieusement ?

Il désigna le sac présent sur les genoux de Jamie.

— Ce dessin est incroyable. Et tu as toujours été si… créatif.

— Je le suis toujours, mais je le fais avec la technologie. Je conçois des sites Internet.

Lorsque les yeux de Stephen s'écarquillèrent, Jamie s'esclaffa.

— Qu'y a-t-il de si surprenant ?

— Toi… et la technologie. Tu détestais les cours de techno à l'époque.

Jamie ouvrit la bouche.

— J'avais dix ans. Les gens changent, tu sais.

— Mais… tu étais si nul !

— Je me suis amélioré, d'accord ?

Ils s'observèrent, puis commencèrent à rire en même temps. Stephen sortit son portefeuille.

— Qu'est-ce que tu fais ?

— Je paye la note. Cela te pose un problème ?

— Oui. C'est moi qui t'ai invité, tu oublies ?

Jamie désigna le portefeuille de Stephen.

— Range ça. Tu pourras payer la prochaine fois.

— Il y aura donc une prochaine fois ?

Jamie sourit.

— Tu peux parier. Maintenant, laisse-moi payer, puis je te ramènerai à ta voiture.

— À une condition. Cette fois, tu ne dépasses aucune limitation de vitesse.

— Est-ce que je les ai enfreintes en venant ici ? demanda-t-il, même s'il connaissait déjà la réponse.

— Oui. Oui ! Tu ne m'as pas entendu prier ? Et dire « Seigneur ! ». Plusieurs fois ? Sans parler du fait de m'accrocher à la seconde où tu as quitté le parking.

Jamie poussa un soupir dramatique.

— D'accord. Je vais conduire plus lentement. Si tu insistes.

À l'intérieur, il bourdonnait encore.

Mon meilleur ami est de retour dans ma vie.

Quelqu'un là-haut devait l'aimer. Il était heureux en pensant au fait qu'ils allaient se revoir. Il avait encore un tas de questions.

Mais probablement pas autant que Stephen à propos de sa vie.

Chapitre 3

Stephen entra dans la maison et cria :

— Je suis rentré !

De la cuisine, il entendit sa mère rire.

— La dernière fois que j'ai vérifié, les cambrioleurs n'avaient pas de clé, alors je savais que c'était toi.

Elle passa sa tête par l'encadrement de la porte.

— Alors, où es-tu allé ?

— Je suis allé à Horn Pond.

Il retira sa veste et la déposa sur la chaise dans le couloir, jusqu'à ce qu'il aperçoive le reflet de sa mère et qu'il l'accroche à la hâte sur un crochet près de la porte.

— Je parie qu'il semble plus petit que la dernière fois où tu y étais. Il y a du café si ça t'intéresse.

Elle se retira dans la cuisine et Stephen la suivit et se dirigea vers la cafetière.

— Et je parie que la circulation y est toujours mortelle. Chaque fois que vous y êtes allés quand vous étiez jeunes, je te jure que j'ai attendu un appel des urgences pour me dire que vous aviez été renversés par une voiture, en essayant de traverser cette maudite route.

Il sourit. Bon sang, c'était le plus loin que sa mère pouvait aller dans le pays des jurons, comme elle l'appelait. Puis, en constatant qu'elle parlait d'accidents de la route…

— Tu ne devineras jamais qui se trouvait là-bas.

Sa mère fit une pause dans sa vaisselle.

— Comment pourrais-je deviner ? Soit tu as rencontré quelqu'un de célèbre, soit c'est quelqu'un que je connais aussi.

Il se versa du café dans la plus grande tasse qu'il put trouver.

— Jamie.

Sa mère s'immobilisa.

— Jamie Lithgow ?

Son visage afficha un grand sourire.

— Oh mon Dieu ! Il vit toujours à Boston ? Est-ce qu'il a beaucoup changé ? Va-t-il nous rendre visite ? Comment va-t-il ?

Stephen gloussa.

— Si tu me laissais en placer une, je te le dirais.

Il s'assit à la table, ses mains autour de la tasse. Avant qu'il ne puisse prononcer un autre mot, son père entra par la porte de derrière et retira instantanément ses bottes.

Maman nous a bien entraînés.

Il sourit en voyant son fils.

— Hé, te voilà de retour. Marie a appelé. Elle m'a dit que tu devais la rappeler plus tard.

Stephen sourit.

— Ah. Je lui manque déjà.

Sa sœur aînée vivait à Carmel avec son mari et leurs deux enfants. Il devait encore s'habituer au fait de ne plus la voir aussi souvent.

— Stephen a vu Jamie à Horn Pond, annonça sa mère avec un sourire.

Les yeux de son père s'illuminèrent.

— Oh, c'est génial ! Dans ce cas, je suis surpris de te revoir aussi tôt. J'aurais pensé que vous rattraperiez le temps perdu jusqu'à la tombée de la nuit.

— Je n'allais pas vous laisser tous les deux seuls trop longtemps, pas alors qu'il y a encore tant à faire.

Le camion de déménagement était arrivé un jour après eux, et Stephen savait qu'ils avaient encore plusieurs jours de déballage devant eux. De plus, il s'était senti… gêné.

Voir Jamie dans ce fauteuil…

— Alors comment va-t-il ? s'enquit sa mère. Est-ce qu'il est toujours le même ?

Papa s'esclaffa.

— Si c'est le cas, quelque chose ne va pas.

Maman leva les yeux au ciel.

— Tu sais très bien ce que je veux dire.

— En fait, il y a quelque chose qui est très différent chez lui.

Stephen prit une grande inspiration. Il était incapable d'effacer l'image de son esprit.

— Il est en fauteuil roulant.

Ils se figèrent, la bouche ouverte. Sa mère fut la première à briser le silence.

— Est-ce que c'est permanent ?

Elle porta une main à ses lèvres, l'air sous le choc. Il hocha la tête.

— Il est comme ça depuis huit ans. Un accident de voiture. C'est la faute de quelqu'un d'autre.

— Bon sang.

Papa parut triste.

— J'ai toujours aimé ce garçon.

Malgré son propre chagrin à l'égard de la situation de Jamie, le commentaire de son père l'ébranla.

— Il est dans un fauteuil roulant, pas en train de mourir d'une maladie au stade terminal.

Son père cligna des yeux.

— Oui, mais… je veux dire… ça a dû le changer.

Stephen se força à sourire.

— Ça ne se remarque même pas. Bref, nous allons nous revoir. Comme vous l'avez dit, nous avons encore beaucoup de temps à rattraper.

Il ne désirait pas parler de Jamie. Sa joie de revoir son ami d'enfance avait été gâchée par l'idée qu'il vivait désormais dans un fauteuil roulant. Ce n'était pas juste. Pas pour Jamie.

— Tu as des choses plus importantes à penser, lui dit son père. Par exemple, trouver un endroit où vivre. As-tu déjà réfléchi à la question ?

Stephen n'en avait encore rien fait, mais il savait que ce n'était pas ce que son père voulait entendre.

— Oui, je pensais commencer à chercher à Jamaica Plain. Ce n'est pas très loin du boulot ou du centre de Boston, et l'ambiance y est agréable.

Non pas qu'il s'y soit rendu, il avait simplement

aperçu des photos en passant et s'était accroché à cet endroit comme un endroit possible à jeter au visage de son père lorsqu'il lui poserait la question.

— L'ambiance ? gloussa sa mère. On dirait que tu vis toujours en Californie.

Son père l'ignora.

— Tu es prêt à utiliser ton MBA à bon escient ?

— Si par là tu veux dire, est-ce que je suis prêt à travailler fort ? Alors, oui, papa.

Stephen savait que son père avait beaucoup à y gagner. Après avoir travaillé pendant de nombreuses années pour une entreprise, la décision d'ouvrir son propre cabinet avait été prise avec beaucoup d'appréhension, mais ils avaient fait de nombreuses recherches. Maintenant, tout ce qu'ils avaient à faire était de faire fonctionner les choses.

— Tu sais ce qu'on dit, déclara sa mère en se joignant à lui à la table. Il faut s'épanouir dans son travail pour pouvoir être heureux en amour.

En langage maternel, cela signifiait « se trouver un petit ami ». Non pas qu'elle lui ait déjà présenté les choses ainsi. Cela faisait huit ans qu'il avait trouvé le courage de leur faire son coming out. Ses parents avaient été consternés au début, mais Stephen était à peu près certain qu'une grande part de cette réaction était due à la question des petits-enfants. Et il n'avait rien fait pour rendre sa révélation plus confortable, avec les nombreuses relations ratées qui avaient suivi sa grande révélation.

Marie, bénie soit-elle, avait été son avocate depuis qu'il était sorti du placard. Elle avait été celle qui l'avait consolé lorsqu'il avait été largué ou trompé. Elle était même allée jusqu'à l'emmener dans un bar gay, à West Hollywood, déterminée à lui trouver un meilleur candidat que ceux qu'il avait choisis auparavant.

— Ça peut attendre, réfuta son père. À l'heure actuelle, on doit se concentrer sur le développement de l'entreprise. Il aura amplement le temps de nouer des relations lorsque nous serons établis.

Il croisa le regard de Stephen.

— Et ta vie amoureuse a l'habitude de te distraire. Je me souviens de comment tu étais à l'université. Tu étais…

— Je sais, je sais, s'interposa Stephen.

Il n'était pas d'humeur à ressasser toutes ses erreurs passées. Il sortit son portable de sa poche et se leva.

— Vous savez quoi ? Je pense que je vais rappeler Marie dès maintenant.

Et sans attendre que l'un d'eux dise quoi que ce soit, il sortit dans la petite cour par la porte de derrière. Le soleil de fin d'après-midi fut agréable sur son visage tandis qu'il se dirigeait vers un banc afin de s'y asseoir. Marie répondit à la troisième tonalité.

— D'accord, que s'est-il passé ?

Il ricana.

— Qu'est-ce qui te fait penser qu'il s'est passé quelque chose ?

— Depuis quand me rappelles-tu aussi rapidement ? Je suppose que tu as besoin de parler.

Une pause.

— Tu as des doutes ? À l'idée de travailler avec papa, je veux dire ? Je sais comment il est.

— Non, ce n'est pas ça. J'ai été pris au milieu d'une discussion où maman laissait entendre que je devais trouver quelqu'un et où papa me disait que ma romance allait devoir attendre.

— A-t-elle vraiment prononcé le mot petit ami ?

Il renifla.

— Revenir à Boston n'a pas beaucoup changé les choses.

Elle poussa un petit soupir dramatique.

— C'est de ta faute.

— Pourquoi dis-tu ça ?

— Tu n'aurais pas pu mentir et dire que tu étais bi. Tu sais, pour atténuer les choses ?

Stephen ricana amèrement.

— Si. Parce que tu sais bien ce qui se serait passé. Ils auraient attendu éternellement que je change de camp.

Il était temps de changer de sujet.

— Je suis allé à Horn Pond aujourd'hui.

— Oh, c'est bien.

Il ne put manquer la note authentique de bonheur dissimulée derrière ses paroles.

— Est-ce que ça a beaucoup changé ?

— Pas vraiment. Mais quand j'y étais, j'ai rencontré Jamie.

Une autre pause.

— Ce n'est pas effrayant du tout. De tous les gens…

Rapidement, il lui parla de la situation de Jamie, et la respiration de Marie se fit hésitante.

— Mon Dieu !

— Tu veux savoir ce qui m'a vraiment surpris ? À part le fauteuil roulant, il ressemble à l'ancien et heureux Jamie dont je me souvenais. Si tu l'entendais, tu ne t'imaginerais jamais à quoi ressemble sa vie désormais.

— Hum.

Il se calma.

— Qu'est-ce que ça signifie ?

— Ça signifie que je n'y crois pas. Je pense qu'il a agi ainsi pour son propre bien. Penses-y. Il n'allait pas s'afficher avec un visage malheureux, si ? Il a fait preuve de courage, parce que c'était toi.

Cela le fit réfléchir.

— Tu penses ?

Il eut mal au cœur. Jamie avait traversé l'enfer, mais ne voulait pas le partager… Pendant un moment, sa gorge se serra et il fut incapable de parler.

— Ça va ?

La voix de sa sœur fut douce. Stephen se ressaisit.

— Pourquoi est-ce que ça n'irait pas ?

— Parce que cette histoire avec Carl t'a terriblement stressé. Trois semaines après que ce bâtard était parti, tu étais encore dans un état lamentable.

Carl était la dernière personne à laquelle il désirait penser.

— Tu sais où me trouver si tu veux en parler.

— Qu'y a-t-il à dire ? Mis à part le fait que j'ai mauvais goût en matière d'hommes.

— C'est quoi déjà le dicton ? Qu'il faut embrasser

beaucoup de grenouilles avant de trouver un prince.

Il renifla.

— Je pense que je me suis éloigné des grenouilles et que j'ai rejoint la population des crapauds.

— Il faut avoir la foi, petit frère. Il se trouve quelque part. Qui sait, peut-être que tu devais retourner à Boston pour le trouver. Il t'a peut-être attendu sur place pendant tout ce temps.

Dieu qu'il aimait sa sœur.

— T'ai-je déjà dit récemment à quel point tu es merveilleuse ?

— Je pense que j'ai besoin de l'entendre encore quelquefois.

Une plainte éclata en arrière-plan, et elle soupira.

— Voilà mon signal pour aller voir ce que Natacha a fait à son petit frère.

Il ricana.

— Tu aimes être maman. Ne te donne pas la peine de le nier. Je suis surpris que tu aies choisi de t'arrêter à deux.

Lorsqu'elle devint silencieuse, il en eut la chair de poule.

— Je ne voulais pas encore te le dire, parce que c'est encore trop tôt, et j'aime attendre le premier examen avant d'annoncer la bonne nouvelle, mais… je suis enceinte. D'environ sept semaines, je crois.

Un intense sentiment de chaleur s'empara de lui.

— Oh, c'est génial. Est-ce que Greg est heureux ?

Elle rit de bon cœur.

— Greg a fait la roue. Il veut un autre garçon.

— Est-ce que c'était prévu ?

— Pas exactement. Disons que c'est une heureuse surprise. Mais ce sera le dernier. J'ai trente-deux ans, bon sang.

— Je ne le dirai pas à maman. Tu le feras lorsque tu seras prête.

— Merci, frangin. Je le ferai dans quelques semaines. Et pendant ce temps, tu vas être très occupé.

Elle marqua un temps d'arrêt.

— Je suis vraiment désolée d'apprendre pour Jamie. C'était un enfant solaire. Il ne méritait pas ça.

Stephen n'allait pas répéter l'insistance de Jamie à dire qu'il était heureux. Il ne pensait pas que sa sœur le croirait. D'autant plus qu'elle avait désormais semé le doute dans son esprit, et Stephen n'était plus certain d'y croire, lui non plus. Peut-être qu'il se sentirait mieux une fois que Jamie et lui auraient parlé un peu plus.

Parce que Stephen désirait désespérément le croire.

Chapitre 4

Jamie avait à peine ouvert les yeux, ce dimanche matin, que son téléphone se manifesta. Il n'eut même pas besoin de regarder l'écran pour savoir de qui il s'agissait. Seule sa mère pouvait l'appeler si tôt. Il récupéra son portable sur la table de nuit.

— Tu as de la chance que je t'aime, plaisanta-t-il en décrochant.

Sa mère gloussa.

— Je savais que tu serais réveillé.

— Je viens tout juste de le faire.

Il lui avait fallu un certain temps pour s'endormir, ce qui ne lui ressemblait pas. Et lorsque le sommeil était finalement arrivé, il avait rêvé de Stephen. Eh bien, de Stephen et de lui, lorsqu'ils étaient enfants, à jouer, à rire…

— Je voulais simplement vérifier que tu venais toujours déjeuner aujourd'hui.

— Bien sûr que oui. Comme si j'allais rater ton rôti du dimanche.

La sauce de sa mère était une gourmandise en soi.

— Est-ce que Liz va venir ?

— Oui, et c'est d'ailleurs la raison pour laquelle je t'appelle.

Une pause.

— Elle amène quelqu'un.

— Bien joué, Liz.

Sa sœur avait eu une relation violente par le passé, dont elle s'était finalement libérée l'année précédente, et depuis il n'y avait plus eu personne à l'horizon.

— Que savons-nous à son sujet ?

— Ils se fréquentent depuis environ quatre mois. Elle dit qu'il travaille dans la même entreprise qu'elle et qu'il est vraiment gentil.

Jamie s'assurerait personnellement de vérifier que ce garçon était vraiment gentil.

— Est-ce que Monsieur Gentil a un prénom ? Parce que je peux l'appeler comme ça, si ce n'est pas le cas.

Une autre pause.

— Jamie, arrête.

Il feignit l'ignorance, mais fut incapable de retenir son sourire.

— Je sais à quoi tu ressembles quand tu es en… mode Jamie. Le pauvre garçon ne s'en remettrait jamais. Pire encore, il pourrait ne jamais vouloir revenir.

— Tu veux dire que tu ne veux pas que je l'éblouisse avec mon esprit brillant et ma personnalité étincelante ?

— Il te suffit juste de… te modérer un peu, au moins pour cette première rencontre. Il a fallu tout ce temps à ta sœur pour oser nous le présenter. Tu ne voudrais pas l'effrayer, pas vrai ?

Il soupira.

— Comme si j'allais agir ainsi. Je me comporterai correctement, je te le promets.

Sa voix s'adoucit.

— Agis comme mon soleil habituel, Jamie, et il t'aimera.

Jamie l'entendit retenir son souffle, et il sut exactement ce qui se passait dans sa tête.

— Il doit bien y avoir quelqu'un quelque part, maman. Quelqu'un fait pour moi. Je dois simplement me montrer patient, c'est tout.

Il se souvint alors de la nouvelle à annoncer à sa mère.

— Je suis allé à Horn Pond hier.

— Vraiment ? Je n'aurais pas deviné !

Il ricana.

— Papa avait raison. Tu n'es vraiment pas douée pour le sarcasme. Mais si je te le dis, c'est parce que j'ai rencontré quelqu'un là-bas. Quelqu'un dont je suis certain que tu te souviens très bien.

— Arrête de te moquer de moi et dis-le-moi. Qui ?

— Stephen Taylor.

Cette fois-ci, il entendit sa mère pousser un soupir audible.

— Tu plaisantes ?

— Non. Il est de retour à Boston. Il va travailler dans l'entreprise de son père. Mais maman… prépare-toi à un choc.

— Que lui est-il arrivé ?!

Jamie dut fournir de grands efforts pour masquer son rire.

— Il est devenu… comptable.

Il y eut une ou deux secondes de silence avant que sa mère éclate de rire.

— Tu es un petit con, tu le sais, ça ? Tu m'as vraiment fait peur. Alors… comment va-t-il ? A-t-il beaucoup changé ?

— Oh, mon Dieu, il est devenu tellement grand. Il mesure pratiquement 1,80 m. Je veux dire, je sais que tout le monde a l'air grand, depuis mon fauteuil, mais bon sang, maman…

— Comment l'a-t-il pris ?

Il savait ce que cette question signifiait.

— Comme on pouvait s'y attendre.

Seulement, Jamie espérait de tout cœur que Stephen serait à même de surmonter rapidement son état de choc. Il priait également pour que la surprise ne cède pas sa place à de la compassion. Jamie n'était pas certain de pouvoir supporter la pitié de Stephen.

— Va-t-il rester en contact ?

— Je suppose que oui. Nous allons nous revoir pour prendre un café.

— Tu as retrouvé ton frère.

La voix de sa mère était emplie de chaleur lorsqu'elle prononça ces paroles.

Oui, c'était ce que Stephen avait représenté pour lui. Aussi simplement que ça. Jamie gardait en lui l'espoir que les treize dernières années n'avaient pas trop altéré les choses entre eux. Les seuls souvenirs auxquels il pouvait penser étaient leurs grands éclats de rire. Jamie s'était pissé dessus plus d'une fois lorsque Stephen l'avait régalé avec ses histoires concernant sa maison. La mère de Stephen était une vraie comique.

— Je pense qu'il doit d'abord s'habituer à ma nouvelle situation.

— Comptes-tu l'amener ici un dimanche ? Nous aimerions beaucoup le revoir.

Jamie se mit à rire.

— Tu penses qu'il refuserait une telle invitation ? Il adorait ta cuisine.

Il jeta un regard au réveil.

— D'accord. J'ai des choses à faire avant de venir vous voir, alors laisse-moi m'y mettre et je serai là à midi.

— D'accord. À tout à l'heure.

Sa mère raccrocha. Jamie reposa son téléphone, déterminé à commencer ses rituels. Ils faisaient tous désormais partie intégrante de lui, comme une seconde nature, et il les avait pratiqués suffisamment de fois pour pouvoir entreprendre sa routine quotidienne sur pilote automatique.

Il plongea la main dans le tiroir de sa table de nuit pour en sortir le miroir et la lampe de poche. Une fois qu'il eut retourné le miroir sur le côté grossissant, il rejeta les draps et positionna ses fesses face au miroir. Chaque matinée commençait de la même façon : chercher d'éventuelles plaies ou rougeurs. S'il y en avait, il devait appuyer dessus du bout des doigts pour s'assurer que la peau blanchissait. Ensuite, il roula pour vérifier l'autre côté. Une fois fait, venait l'heure de passer à la salle de bain. Jamie souleva ses jambes de son lit, puis il se transféra dans son fauteuil. La première fois qu'il avait fait ça, il avait oublié de serrer les freins et ça avait été un vrai désastre. Heureusement, il avait pratiqué cette technique à l'hôpital de nombreuses fois au cours de sa rééducation, et c'était une leçon qu'il n'avait jamais plus oubliée depuis.

Il se dirigea vers sa salle de bain, arrêta son fauteuil à côté des toilettes, posa la main sur la barre d'appel surélevée et se hissa dessus. Lorsqu'il avait eu son accident, les infirmières l'avaient aidé à instaurer une routine visant à vider ses intestins le soir, mais une fois de retour chez lui, il avait changé ça. Il préférait s'en débarrasser au matin.

Puis ce fut l'heure de la douche. Il glissa son fauteuil à côté de la baignoire, avec son banc de transfert rembourré qui se trouvait sur le bord. Il se hissa dessus, puis manœuvra le siège jusque sous la douche. Le pommeau était posé, prêt pour lui, alors il se nettoya.

Lorsqu'il eut terminé, il se sécha aussi bien que possible, puis plia sa serviette et la plaça dans son fauteuil roulant. Un autre transfert, et il se sécha un peu plus. Enfin, il était de retour dans sa chambre à coucher pour s'habiller.

Son placard avait été organisé avec tous les supports et les étagères à portée de main pour lui faciliter la tâche. Il opta ce jour-là pour un sweat et un jogging. Ses parents ne cillaient même plus lorsqu'il apparaissait dans ce genre de tenue : ils savaient que c'était plus facile à enfiler et à en sortir tout seul que les tenues conventionnelles. Bien sûr, pour s'habiller, il devait se balancer d'un côté à l'autre et se surélever pour faire passer le pantalon sur ses fesses et ses hanches jusqu'à ce qu'il soit en place, mais il s'y était habitué.

Une fois vêtu, il fit son lit, se déplaçant tout autour jusqu'à ce que la couette soit lisse et les oreillers bien regonflés.

Après quoi, il se dirigea vers la cuisine pour se préparer un petit-déjeuner. Pendant qu'il mangeait ses céréales, il pensa à Stephen. Il avait tellement de questions, mais il savait qu'il n'était pas capable d'y répondre. Lorsqu'il lui avait dit qu'il devait partir, Jamie n'avait pas vraiment été surpris. Une partie de lui avait pensé que Stephen fuyait parce qu'il n'arrivait pas à gérer la situation, mais il avait pu se tromper. Ou en tout cas, il espérait de tout cœur s'être trompé.

Il n'arrivait pas à se remettre de l'apparence actuelle de Stephen. D'accord, il était déjà beau plus jeune, mais… il était devenu terriblement sexy.

Est-ce trop espérer qu'il soit gay ?

Jamie était à fond dans le pouvoir de la pensée positive.

Jamie roula jusqu'à la légère inclinaison de la porte d'entrée de ses parents. Son père avait fait construire la rampe dès que Jamie était devenu mobile. Avant même qu'il ne puisse sonner, sa mère l'ouvrit.

— Bonjour. Vas-y entre.

Elle s'écarta pour le laisser passer et il roula sur le plancher de bois jusque dans le salon. Son père était assis sur son fauteuil et discutait avec un jeune homme. Ce fut alors que Jamie réalisa que sa mère ne lui avait pas dit le prénom de Monsieur Gentil. Il se mordit la lèvre.

Oh, comme c'est tentant...

Son père leva les yeux vers lui et sourit.

— Hé, toi. Content de te voir. Je te présente Phil. Il travaille avec ta sœur.

Phil avait évidemment été averti de son état parce qu'il ne se concentra pas sur son fauteuil roulant. Il se leva avant que Jamie puisse l'arrêter et lui tendit la main.

— Ravi de te rencontrer, Jamie. Liz m'a beaucoup parlé de toi.

— Ce sont des mensonges, tout ça, répliqua Jamie en souriant. Tout est la faute de Photoshop, je te le jure. Ils ne pourront jamais prouver quoi que ce soit. Et cette vidéo était un coup monté !

Phil cligna des yeux avant de sourire.

— Elle m'a également parlé de ton sens de l'humour.

Liz entra dans la pièce.

— Oh mon Dieu, est-ce que Jamie a déjà commencé ?

Elle s'approcha de lui et lui embrassa la joue.

— Sois gentil, le prévint-elle, les yeux luisants.

Jamie écarquilla les yeux.

— Moi ?

Il ne fut pas surpris lorsque sa sœur et son père éclatèrent de rire. Phil semblait amusé par son comportement. Jamie renifla, puis laissa échapper un gémissement.

— Ça sent très bon.

Son estomac grogna, comme en accord avec ses paroles. Son père rit de bon cœur.

— Te voilà prévenu, Phil. Sers-toi de la purée de pommes de terre, dès que tu en auras l'occasion. Il est probable que quelqu'un veuille tout dévorer.

Phil s'assit et Jamie positionna son fauteuil dans l'espace vide à côté du canapé. Il étudia le jeune homme avec un regard intense.

— Alors, Phil… depuis combien de temps est-ce que tu sors avec ma sœur ?

Ce dernier s'essuya le front de façon spectaculaire.

— Waouh ! Tu es direct, plaisanta-t-il.

Cependant, le fait d'avoir passé sa main dans ses cheveux en disait long, tout comme la façon dont son autre main tremblait. Liz s'assit à ses côtés et la recouvrit de la sienne. Jamie sourit.

— Bon, reprenons. Je suis vraiment heureux de te rencontrer, Phil. Depuis combien de temps êtes-vous ensemble avec Liz ?

Phil se détendit.

— Environ quatre mois. Elle a décidé qu'il était temps que je vous rencontre tous.

Ses yeux brillaient.

— Surtout toi.

Jamie répondit :

— Oh, c'est certain. Mais que puis-je dire pour ma défense ? Je suis quelqu'un de spécial.

Liz soupira.

— Ça, c'est sûr. Comment ça va ? Tu t'en sors avec le boulot ?

Il hocha la tête.

— Tant que je peux trouver le temps d'aller dessiner, je suis heureux.

Travailler pour son propre compte était parfait, et ses résultats lui apportaient toujours plus de clients. Il se força à sourire en repensant à la remarque de Stephen au sujet de ses compétences en informatique. Stephen n'avait pas tort. Jamie avait été nul en informatique, et ça n'avait été qu'en seconde qu'il avait changé d'avis à ce sujet. Une fois qu'il était sorti de rééducation et qu'il avait tenté de reconstruire sa vie, prendre des cours d'informatique lui avait semblé un choix évident, surtout puisque ça lui offrait les moyens de travailler de chez lui.

— Maman vous a dit dans qui je suis rentré hier ? Pas littéralement, bien sûr.

Son père gloussa.

— J'ai des doutes. Tu es plutôt doué pour manipuler cet engin.

C'était le genre de commentaire qui ne dérangeait absolument pas Jamie. Liz hocha la tête, les yeux brillants.

— Quand allons-nous le revoir ?

— Tu veux dire, pour que tu puisses encore le taquiner ? Il a toujours dit que tu étais pire que sa propre sœur.

Stephen et lui avaient passé énormément de temps dans la maison de l'un ou de l'autre en grandissant, et leurs parents s'étaient également liés d'amitié lors de fêtes, d'anniversaires, et pour les vacances.

Jamie ricana.

— Tu vas être surprise. Stephen a grandi. Je veux dire, énormément grandi.

— Il va falloir qu'il vienne ici pour que nous puissions rattraper le temps perdu, intervint sa mère en entrant dans le salon. Je veux tout savoir de sa vie en Californie.

— Je sais déjà qu'il est devenu fou, répliqua sa sœur en souriant. Qui abandonnerait tout ce soleil pour revenir ici ?

— Peut-être que Jamie lui a manqué, suggéra Phil.

Jamie renifla.

— Je suis à peu près certain de ne pas avoir figuré dans ses plans.

Cependant, il ne pouvait nier que c'était une pensée agréable.

— Eh bien, si vous comptez rester là à vous remémorer le passé, ça fera plus de rôti pour moi, déclara sa mère.

Jamie se précipita vers la porte, faisant une embardée pour éviter une collision avec elle.

— Purée de pommes de terre ! Laisse-moi passer !

Juste derrière lui, les autres éclatèrent de rire.

Jamie adorait les dimanches. C'était tellement agréable d'être dans un endroit où personne ne le sous-estimait, où personne ne lui disait qu'il était incapable de faire une chose qu'il avait décidé d'entreprendre, et où personne ne faisait de références négatives à son fauteuil.

Il espérait que Phil agirait également ainsi, parce que jusqu'à présent, il semblait être un type bien. Dieu savait que sa sœur en avait besoin après le dernier enfoiré qu'elle avait fréquenté.

Jamie était impatient d'emmener lui aussi quelqu'un pour rencontrer sa famille.

Il avait également besoin d'un type sympa.

— Je pensais partir en vacances, déclara Jamie alors que Liz débarrassait la table et que sa mère apportait le dessert, une de ses tartes aux pommes avec de la crème fouettée.

Son père lui jeta un regard curieux.

— L'été prochain ?

Jamie secoua la tête.

— Je pensais davantage à cet hiver. J'ai une idée. Quelque chose que je veux essayer.

— Ça ne doit pas être du ski, c'est sûr, intervint Phil.

Il s'interrompit brusquement en notant le regard d'avertissement que lui lança sa sœur. Sa mère et son père se turent, tournant la tête dans sa direction. Il savait ce que cela signifiait.

Sois gentil.

Ils appréciaient clairement le jeune homme. Lui aussi, mais cela ne voulait pas dire pour autant qu'il allait laisser Phil penser que de telles remarques étaient acceptables.

Jamie fronça les sourcils.

— Et pourquoi pas ?!

Phil cligna des yeux.

— Eh bien…

— Si Jamie a envie de skier, crois-moi, il trouvera un moyen. Tu ferais mieux de l'apprendre immédiatement.

Dieu bénisse son père.

Il n'était jamais du genre à le sous-estimer.

Sa mère l'observa attentivement.

— Je suppose qu'il y a des endroits où tu pourrais le faire ?

Il hocha la tête.

— Il y a un endroit dans le Vermont où l'on pratique le ski adapté. Il y a d'abord une séance d'entraînement, puis la possibilité de louer des monoskis, avec un ski jumeau ou un seul. J'y pense depuis un certain temps.

Jamie était toujours à l'affût d'un nouveau défi à réaliser… Et il n'avait jamais eu la chance de skier lorsqu'il était plus jeune. Cela semblait donc être une solution parfaite.

— Je suis désolé, dit rapidement Phil. Je me suis accroché à un préjugé, je n'aurais pas dû.

Jamie lui adressa un sourire chaleureux.

— Nous le faisons tous, de temps en temps.

— Oui, mais je ne le referai pas, lui assura le jeune homme. Du moins, pas en ce qui te concerne.

Il pencha légèrement sa tête de côté.

— Est-ce que tu as pensé au parapente ?

Jamie retint son souffle.

— Maintenant que tu en parles. Ce serait génial !

Il ne savait pas si ce sport s'adressait aux paraplégiques, mais il comptait bien le découvrir.

— C'est quelque chose que j'ai toujours voulu

essayer, lui apprit Phil. Donc, si jamais tu te décides à sauter le pas, je viendrai avec toi.

D'accord, l'argument venait de toucher Jamie en plein cœur. Il jeta un coup d'œil à sa sœur.

— Tu dois le garder celui-là.

Cette dernière s'esclaffa.

— Merci pour le vote de confiance, mais je l'avais déjà compris toute seule.

Phil prit la main de Liz dans la sienne.

Jamie considérait cette journée comme une bonne journée.

Elle aurait été parfaite, s'il avait eu quelqu'un avec qui la partager. Quelqu'un qui se souciait de lui. Quelqu'un qui n'aurait pas hésité à se précipiter pour dévaler une montagne en monoski avec lui. Encore une autre chose à ajouter à la liste de ce que Jamie cherchait chez un petit ami potentiel.

Chapitre 5

Jamie attendit trois jours que Stephen reprenne contact. Le mercredi, sans avoir reçu le moindre texto ou appel, un petit malaise commença à s'infiltrer dans ses pensées généralement positives.

C'est le fauteuil, n'est-ce pas ?

Ce ne serait pas la première fois que cette putain de chaise roulante se mettait en travers de son chemin. Soit les hommes pensaient qu'être assis là-dedans avait fait chuter son QI, soit ces derniers pensaient qu'il était assez beau pour mériter une partie de jambes en l'air par pitié, ou même, Dieu l'en préserve, ils souhaitaient simplement se livrer à une sorte de « perversion de handicapés »... il y avait de nombreux enculés malades sur cette terre.

Peut-être que la plupart du temps, ce qui les mettait sur sa route n'était rien de plus que de la curiosité malsaine, jusqu'au moment de passer à l'acte, où ils s'enfuyaient en courant.

Jamie espérait chaque fois en avoir assez fait pour donner à un futur partenaire la confiance nécessaire pour lui poser des questions, lui demander n'importe quoi. Il avait eu de nombreux débuts de conversation, l'appelant même *La Conversation*, mais jusqu'à maintenant, les choses s'arrêtaient habituellement à ce stade. Ce foutu morceau de métal éloignait les hommes bien avant qu'ils soient suffisamment proches de lui pour qu'il puisse leur retirer leurs vêtements. Ce qui l'attristait le plus, lorsqu'il s'autorisait à y réfléchir, ce qui n'était pas très fréquent, c'était qu'aucun homme ne l'avait vu nu depuis ses dix-sept ans, lors de sa première fois.

Il ne pouvait que se remémorer une sortie scolaire frénétique en terminale. Malheureusement, ça n'avait pas franchement été spectaculaire.

Hé, au moins, j'ai baisé une fois, pas vrai ?!

De son point de vue, être paraplégique et puceau aurait été un scénario infiniment pire.

Il chargea la vaisselle dans le lave-vaisselle, puis récupéra son portable.

Tu sais ce qu'on dit…

Il fit défiler l'écran pour trouver le numéro de Stephen. Après trois ou quatre tonalités, ce dernier répondit.

— Hé, Mahomet. Ici la montagne. Quand prévois-tu de me rendre visite ?

Stephen ricana.

— Très subtil, Jamie. Je te manque déjà ?

— Comme un trou dans la tête.

Le simple fait d'entendre la voix de Stephen le fit se sentir bien.

— Alors… penses-tu pouvoir te libérer pour un dîner demain soir ? Chez moi ?

— Ça dépend de ce que tu comptes cuisiner.

Jamie renifla.

— Je pensais à du foie, du chou-fleur, des choux de Bruxelles, des olives, des anchois. Le tout sur une pizza.

De bruyants haut-le-cœur résonnèrent à ses oreilles.

— Espèce de petit con ! Je crois que tu viens de nommer tous les aliments qui me donnent envie de vomir. Il semblerait que ta mémoire va très bien.

Jamie se frotta les ongles sur sa chemise.

— Ah. Oui. Toujours fonctionnelle. Mais sérieusement… c'est faisable ?

— Bien sûr. Qu'est-ce que tu bois ? Tu veux que j'apporte de la bière, du vin… du sherry ?

La dernière proposition le fit sourire.

— Oh mon Dieu ! Tu t'en souviens ? De ce Noël chez ta grand-mère ?

— Difficile d'oublier que tu as redécoré son plus beau tapis avec ton propre investissement technicolor.

Jamie ouvrit la bouche.

— Mon propre quoi ?

Stephen gloussa.

— Tu as vomi dessus, tu t'en souviens ? Et c'est une phrase que j'ai apprise d'un étudiant australien que j'ai rencontré à l'université.

Jamie se rappelait également la honte qu'il avait ressentie la fois suivante où il l'avait vue. La grand-mère de Stephen était une femme extraordinaire, et il détestait penser qu'il s'était déshonoré devant elle. Et comme la grande dame qu'elle était, elle s'était montrée très gentille à ce sujet. Elle avait également très bien caché la bouteille de sherry.

— Pour répondre à ta question, j'aime la bière et le

vin blanc, mais n'en prends pas exprès pour moi.

— Parfait. Je vais voir ce que je vais trouver.

Une pause.

— Tu ne comptes vraiment pas me donner d'indices sur ce qu'il y aura au menu ?

— Allez, allez. Laisse-moi faire planer le mystère.

Stephen gloussa.

— Tu sais, lorsque tu dis ça comme ça, je t'imagine au milieu de voiles flottants, en train d'en tenir un sur ton visage, mais je peux quand même voir tes yeux. Et tu es en train de battre des cils.

— Des voiles, hein ? On dirait que tu es devenu un vieux pervers.

Jamie adora cet échange.

— Pervers, mon cul.

— Si tu le dis. Ce que tu choisis de faire dans l'intimité de ta chambre ne me concerne pas. Bon… que dirais-tu de dix-neuf heures ?

— C'est parfait.

— Très bien. Je t'enverrai l'adresse par texto. Il y a une place de stationnement devant le garage. À plus tard.

Jamie mit fin à l'appel. Puis il se dirigea vers son congélateur pour décider quoi cuisiner. L'idée de préparer du foie le titillait encore, simplement pour se moquer de lui.

Sur les coups de dix-neuf heures, Jamie entendit le bruit d'une voiture qui se garait devant chez lui. Il se dirigea vers la porte à l'avant et l'ouvrit alors que Stephen verrouillait le véhicule. Jamie ricana.

— Je n'ai pas vu ta bagnole lorsque nous étions à l'étang, mais si j'avais pu en choisir une pour toi ? Ça aurait été une Toyota Camry. Très certainement un véhicule de comptable.

Stephen fronça les sourcils.

— Tu as attendu ça avec impatience toute la soirée, hein ? C'est une voiture de location, tête de nœud.

Dans une de ses mains, il tenait un sac en papier brun. Cela déclencha un autre rire.

— C'est bon, tu n'as pas besoin de cacher l'alcool. Le livreur s'arrête ici tous les jours.

Jamie opéra un demi-tour pour le laisser entrer dans la maison.

— Bienvenue chez moi !

Stephen sourit.

— Ça a l'air confortable vu de l'extérieur.

Puis il s'immobilisa.

— C'était une blague, pas vrai ? Au sujet du livreur d'alcool ?

Jamie leva les yeux au ciel.

— Seigneur, qu'a fait la Californie à ton cerveau ? Tu l'as fait frire au soleil ?

Il tendit la main pour s'emparer du sac et Stephen le lui offrit. Jamie jeta un coup d'œil à l'intérieur et sa poitrine se serra.

— Oh, quelle gentille attention !

À côté de la bouteille de vin blanc se trouvaient quatre paquets de Reese's Peanut Butter Cups. Jamie secoua la tête.

— Tu t'en es souvenu.

Stephen sourit.

— Comme quoi, le soleil de Californie n'a pas endommagé mon cerveau. Bien sûr, je peux aussi les remporter avec moi plus tard.

— N'essaie même pas, putain !

Stephen éclata de rire.

— Je me demandais combien de temps il faudrait avant que des obscénités sortent de ta bouche.

— *Ma* bouche ? Qui a utilisé le mot « baiser » dans les dix secondes qui ont suivi notre rencontre hier, pour la première fois en treize ans ? Hum ?

Jamie désigna le couloir d'un geste.

— Je vais te faire faire le grand tour. Suis-moi, mais pas de trop près. Ces roues ne font pas de prisonniers, alors garde tes mains à l'intérieur du wagon.

— J'aime ton plancher.

Jamie ricana.

— Il n'y a pas de tapis ici. Les tapis et les fauteuils roulants ne font pas bon ménage.

Il désigna une porte sur la gauche.

— Salle de bain. Il y a une rampe, mais tu peux la soulever si tu en as besoin. Assure-toi simplement de la remettre en place lorsque tu auras terminé. Tu peux accrocher ta veste à côté de la porte.

Il attendit pendant que Stephen s'exécutait.

— Cela te va très bien, soit dit en passant. Mais ça a toujours été le cas pour le noir.

Il sourit.

— Tu as eu cette phase gothique lorsque tu avais douze ans, tu t'en souviens ? Tu as essayé, mais ta mère a piqué une crise. Quelque chose à propos du fait que le métal était la musique de Satan, je crois ?

— J'ai écouté ces conneries pendant une seule semaine, rétorqua Stephen. Ce n'était pas une phase. Et tu as eu tes moments, toi aussi, où les as-tu commodément oubliés ?

— Je n'oublie jamais rien. C'est une malédiction.

Jamie se rendit dans la cuisine, Stephen derrière lui. Il montra du doigt le placard à côté du réfrigérateur.

— Il y a des verres à l'intérieur. Ainsi qu'un tire-bouchon dans le tiroir à côté de la cuisinière. Au cas où nous en avons besoin. Dans l'éventualité où tu aurais envie de faire des folies en essayant d'ouvrir une bouteille avec un tout autre outil.

— Va te faire foutre.

Jamie avait l'impression d'avoir à nouveau treize ans. La première fois qu'il avait prononcé le mot « putain » avait été en présence de Stephen, et il s'était senti si courageux. Bien sûr, au fil du temps, c'était devenu banal, sauf lorsqu'ils étaient avec leurs parents. Ce juron avait fuité quelques fois, mais les résultats avaient suffi à les rendre plus prudents au fil du temps.

Stephen huma l'air.

— Quelque chose sent très bon, dit-il en se dirigeant vers le placard.

Il désigna l'évier du doigt.

— J'aime beaucoup.

Jamie savait qu'il faisait référence à l'espace sous l'évier. C'était plus facile pour lui d'y installer son fauteuil.

— C'est une des modifications que j'ai apportées à la maison. Enfin, pas moi personnellement. Il y a une entreprise qui aménage les habitations pour les rendre accessibles en fauteuil roulant.

Il désigna les placards.

— Tout est à portée de main. De plus, j'ai une pince pour attraper les choses que je n'utilise pas très souvent.

— Ont-ils également élargi les portes ?

— Tu as remarqué ? C'est bon de voir qu'être comptable ne t'a pas volé toutes tes facultés. Et en parlant de ça…

Jamie sourit.

— Comment un comptable peut-il éviter de s'endetter ?

— Je n'en ai pas la moindre idée, mais je suis certain que tu vas me le dire.

— Il apprend à jouer avec son salaire.

Stephen gémit, ce qui n'empêcha pas Jamie de poursuivre.

— Et as-tu entendu parler de la femme qui est allée chez le médecin et à qui on a annoncé qu'il ne lui restait que six mois à vivre ? Oh mon Dieu, a-t-elle dit. Que dois-je faire ? Mariez-vous avec un comptable, lui suggéra le médecin. Pourquoi ? demanda la femme. Cela me fera-t-il vivre plus longtemps ? Non, répondit le médecin, mais cela vous semblera plus long.

Stephen grogna.

— Je pense que je vais y aller, maintenant. Je ne sais pas combien de blagues de ce genre je peux supporter avant d'avoir envie de te tuer.

Jamie ricana.

— D'accord. Je vais tâcher de rester sage. Plus de blagues avant que nous ayons mangé.

— J'espérais que cela durerait le temps de ma visite, mais je me contenterai de ce que je peux obtenir.

Il ouvrit la bouteille, versa deux verres, avant d'en tendre un à Jamie.

— À notre vieille amitié.

— Hé, nous ne sommes pas vieux ! s'offusqua Jamie. Mais je vais boire à l'amitié.

Ils trinquèrent. Il avala une gorgée de vin. Il était frais et délicieux. Jamie poussa un soupir heureux.

— Dieu merci, tu as bon goût en matière d'alcool. Cela compense presque ton choix de voiture de location.

— Sérieusement, va te faire foutre, répondit Stephen en souriant à nouveau. Le dîner est prêt ? Parce que je meurs de faim.

Jamie désigna la table à manger.

— Va t'asseoir, je prépare le tout.

Lorsque Stephen ouvrit la bouche pour protester, Jamie lui jeta un regard noir.

— Avant que tu me demandes si tu peux m'aider, je vais m'en sortir, merci bien. Si j'ai besoin d'aide, je te le ferai savoir.

— C'est à cause de ça que nous nous sommes perdus cet été-là, si je me souviens bien. Parce qu'aucun de nous n'a su demander de l'aide.

Jamie ronchonna.

— Ça fait partie du fait d'être un homme, tu ne le savais pas ? Les hommes ne demandent pas d'aide, ils préfèrent faire des détours.

C'était pour cette raison qu'ils s'étaient égarés en forêt, avec leurs parents qui s'inquiétaient à la maison.

— Nous avons vécu de sacrées aventures, pas vrai ?

La voix de Stephen était désormais chaleureuse.

— Carrément. Et je me doute qu'avant la fin de la soirée, nous allons nous remémorer énormément de souvenirs de cette belle époque.

Jamie pouvait parler de leur enfance et des souvenirs qu'il en conservait jusqu'au bout de la nuit. C'était beaucoup mieux que de parler de son accident. Parce qu'il n'était pas stupide. Il savait qu'ils devraient en parler tôt ou tard.

À ce moment-là, il espérait simplement que ce soit le plus tard possible.

Stephen laissa échapper un soupir satisfait.

— D'accord, je l'admets, tu cuisines divinement bien.

— Oh, bien sûr. Parce que tu ne m'as pas cru lorsque je te l'ai dit. Tu as attendu d'avoir englouti trois portions de lasagnes pour en être vraiment certain.

Jamie n'en avait mangé qu'une part. Il connaissait ses limites.

— J'ai de la crème glacée s'il te reste de la place.

Les yeux de Stephen étincelèrent.

— Dis-moi que c'est de la glace à la menthe avec des morceaux de chocolat et je t'aimerai pour toujours.

Jamie ricana.

— Oh, je vois, tu es comme ça. Oui, c'est le cas.

Ils adoraient tous les deux ce parfum lorsqu'ils étaient enfants, et il ne s'en était jamais lassé. C'était formidable pour lui de se rendre compte que Stephen était également encore un grand fan de cette glace. Il se retourna vers le congélateur et l'ouvrit.

— En passant, je ne plaisantais pas. Tu es vraiment doué pour cuisiner.

Jamie lui adressa un sourire.

— Merci. Je n'ai qu'un petit répertoire, et j'ai tendance à cuisiner en grosse quantité, puis à congeler le tout parce que je suis paresseux, mais je m'en sors.

Stephen le contempla avec une affection évidente.

— Toi, paresseux ? Je n'y crois pas. Tu t'es toujours démené pour ce que tu faisais, je doute que ça ait changé.

Il le désigna de haut en bas.

— Je n'ai qu'à te regarder pour en avoir la confirmation.

Ses yeux plongèrent dans les siens, et Jamie comprit qu'il n'y avait pas d'échappatoire à cette conversation.

Arrachons le pansement et finissons-en, d'accord ?

Ça ne le dérangeait pas de parler de l'accident. Il y avait longtemps qu'il avait repoussé toute sa douleur et son inconfort dans un endroit retranché de son esprit, puis verrouillé la porte et jeté la clé. Non, ce qu'il détestait, c'était le regard des gens lorsqu'ils l'écoutaient. Le regard qui témoignait de leur pitié.

Et il ne voulait pas la voir dans les yeux de Stephen.

Il avala une gorgée de vin, priant intérieurement pour que son ami ne se révèle pas être comme tout le monde. Jamie avait l'horrible sentiment que ça pouvait le briser, et il ne voulait pas qu'une telle chose se produise devant Stephen.

Il est bien trop important.

Chapitre 6

Il reconsidéra les choses.

Si on doit faire ça, on le fera à ma façon.

Jamie sortit le pot de crème glacée du congélateur et referma la porte.

— Je sais que tu as probablement un million de questions, mais si nous devons en parler… tu devras le faire ce soir. C'est tout. C'est tout ce que tu auras. Alors commence à réfléchir, parce qu'une fois que tu partiras d'ici, nous n'en rediscuterons plus jamais.

Stephen cligna des yeux.

— Sérieusement ?

Il hocha la tête.

— Est-ce que tu as besoin d'un stylo et d'un papier pour écrire tes questions ? Tu veux de la sauce au chocolat ? demanda-t-il, ravalant un sourire en servant la glace dans deux bols.

— Est-ce qu'un ours chie dans les bois ?

Jamie éclata de rire.

— Oh mon Dieu ! La tête de ta mère lorsque tu lui as sorti cette phrase. Je ne pense pas t'avoir vu pendant une semaine après ça.

— Je crois que je n'ai pas pu m'asseoir pendant une semaine après ça.

Stephen vint chercher son bol, et Jamie ricana.

— Ne crois pas que je ne sais pas ce que tu essaies de faire. Tu veux seulement voir la quantité de sauce que je vais verser.

— Hum.

Stephen s'empara de la bouteille et la pressa, recouvrant la crème glacée d'une épaisse couche de chocolat. Au lieu de retourner à la table, il posa sa main sur l'épaule de Jamie.

Ce dernier l'observa et sa gorge se serra.

— Ne fais pas ça. Ne t'avise surtout pas de sortir des platitudes bien usées. Pas toi.

Stephen se racla la gorge

— Penses-tu que je pourrais avoir une autre boule de crème glacée ?

Pendant un moment, Jamie voulut rire, jusqu'à ce qu'il réalise que Stephen avait probablement fait marche arrière après avoir vu l'expression sur son visage. Cela lui en apprit beaucoup sur l'homme qu'il était devenu. Il rit de bon cœur.

— Puisque c'est toi… pourquoi pas ?

Il fit tomber une autre boule de crème glacée dans le bol, puis remit le bac dans le congélateur. Ils retournèrent à la table, et Stephen sembla se perdre dans ses pensées. Jamie mangea lentement, essayant de deviner les questions que son ami allait probablement lui poser. Ce serait une conversation extrêmement courte.

— La personne qui a causé ton accident… a été poursuivie ?

Jamie se figea.

— Pourquoi… tu comptes lui donner une bonne leçon ?

— Si j'en ressens le besoin.

Le visage de son meilleur ami s'assombrit.

— Ne me lance pas sur le sujet des personnes qui conduisent en état d'ébriété.

— Eh bien, la loi s'est chargée de lui pour toi.

Un intense sentiment de chaleur se répandit à travers lui, alors il ne put s'empêcher de faire un commentaire :

— Oh. Tu te soucies suffisamment de moi pour vouloir tabasser quelqu'un pour moi. Je suis touché.

— Idiot.

Lorsque le regard de Stephen se posa sur son fauteuil roulant, Jamie plongea ses yeux dans les siens.

— Alors ? Par où veux-tu commencer ?

Stephen finit sa cuillère de crème glacée.

— À quel point l'accident a-t-il été grave ? Qu'est-ce qui t'a fait ça ?

Jamie leva sa cuillère, le manche vers le haut.

— D'accord, ma colonne vertébrale a été touchée, et disons que l'extrémité creuse de la cuillère représente mes fesses. Le dos est constitué de vertèbres. Je crois me souvenir que tu étais trop occupé à feuilleter le manuel pour essayer de trouver des photos des organes reproducteurs.

— Va te faire foutre, répliqua Stéphane en souriant. Et, oui, tête de nœud, je sais ce que sont les vertèbres.

— D'accord. La colonne vertébrale est composée de quatre sections, mais celle dont nous parlons actuellement est la colonne thoracique. C'est la partie juste au-dessus de là où commence ton cul. Les vertèbres sont numérotées de T1 à T12.

Il se mordit la lèvre.

— T c'est pour thoracique, aussi simplement que ça.

Stephen lui fit un doigt d'honneur.

— Ma blessure se situe au niveau de T10, et c'est ce qu'on appelle une blessure complète. Ça signifie que je ne ressens pas la moindre sensation dans mes jambes.

— Donc il n'y a vraiment aucune chance pour que tu puisses remarcher un jour ?

Jamie secoua la tête. Stephen étudia le haut de son corps.

— Tu sembles aller bien au-dessus de la taille, si ce n'est pas un commentaire trop personnel.

C'était le genre de remarque qui pourrait donner de l'espoir à un homme gay, sauf que Jamie était certain que ce n'était pas dans ce but que cette phrase avait été prononcée. Il sourit.

— Je vais prendre ça comme un compliment. Et mon coach à la salle de sport sera très heureux de l'entendre. Il me fait suffisamment travailler.

— Tu vas à la salle de sport ? s'étonna Stephen, puis il se reprit. Je suis désolé. Je ne voulais pas…

— Tout va bien. J'y suis habitué.

Jamie savait également que Stephen était encore en train d'essayer de s'adapter à la situation.

— Crois-le ou non, ils laissent également les types

en fauteuil roulant entrer dans les salles de sport. Et je vais m'entraîner tous les jours.

— Je me disais bien que tu avais fait quelque chose. Tu m'as impressionné lorsque tu as soulevé ton fauteuil pour le ranger dans ta voiture.

— C'est ce qu'on appelle la pratique. Est-ce que tu as d'autres questions ?

Jamie savait pertinemment que c'était le cas. Stephen désigna la cuisine.

— Toutes ces modifications… ça ne devait pas être bon marché. Cette maison aurait pu être conçue pour toi.

Jamie hocha la tête.

— Tout a été payé par l'indemnité que j'ai reçue, en plus des subventions qui sont offertes aux gens comme moi. Ils ont également payé ma voiture.

Stephen se mordit la lèvre.

— Si tu ne ressens pas de sensations dans les jambes, qu'en est-il des autres parties ?

Jamie sourit.

— Pourrais-tu être un peu plus précis ? demanda-t-il, même s'il savait pertinemment où cette conversation allait les mener.

Tôt ou tard, les gens parlaient toujours de son sexe.

— Eh bien… qu'en est-il des passages aux toilettes ? Je veux dire… sais-tu quand… tu as besoin d'y aller ?

Jamie cligna des yeux.

— Oh. D'accord. C'est là que j'ai eu de la chance que ma blessure soit au niveau de T10 et non inférieure à T12. Ça signifie… pour dire les choses franchement… que mon anus reste fermé à moins que je ne veuille qu'il s'ouvre.

— À moins que tu ne le veuilles ?

— Je suis toute une routine. Tous les matins, je me vide les entrailles.

Lorsque Stephen le regarda en écarquillant les yeux, Jamie sourit.

— Hé, c'est toi qui en as parlé. Ne t'attends pas à ce que je te dise comment je m'y prends, ce serait vraiment grossier.

— Et qu'en est-il de l'urine ?

Jamie fronça les sourcils.

— Tu veux absolument des détails, hein ? Ma vessie fonctionne toujours. Mais ce sentiment de savoir quand je dois faire pipi ? Je ne le ressens plus. Le signal ne passe tout simplement pas. Donc, toutes les trois ou quatre heures, je dois utiliser mon cathéter moi-même.

— Ouch.

Stephen tressaillit. Jamie agita la main.

— J'y suis habitué maintenant. Et si je vais dans un nouvel endroit, j'ai un petit sac à attacher à ma cuisse.

Il ricana.

— Je parie que tu regrettes maintenant d'avoir posé la question ?

Stephen s'esclaffa.

— C'est certainement trop d'informations.

Il baissa les yeux sur sa crème glacée, puis les releva de nouveau vers Jamie.

— Mais pas suffisamment pour me priver de mon dessert.

Aussi simplement que cela, il recommença à manger.

Jamie attendit, mais il devint rapidement évident qu'il n'y aurait plus de questions. Il ne demanda rien. Jamie demeura stupéfait pendant un moment. Il était certain que le sujet des relations allait être abordé. Lui était certain de vouloir en savoir plus sur la vie amoureuse de Stephen. Mais son ami ne lui avait posé aucune question sur le sexe. C'était nouveau. C'était habituellement la première chose que les hommes voulaient savoir.

Est-ce que l'on peut toujours avoir des relations sexuelles ? Est-ce qu'on peut quand même avoir une érection ?

Toutefois, l'absence de telles questions le força à réfléchir. Si Stephen était capable de lui poser des questions sur l'urine et les selles, mais pas sur sa vie personnelle... Il devait y avoir une raison à cela, et la plus évidente était que Stephen ne voulait pas lui poser ce genre de questions.

Ne le pousse pas. Esquive.

De telles questions devaient attendre un autre jour. Cependant, il avait une théorie.

Stephen ne pose pas de questions sur ma vie amoureuse parce qu'il suppose que je n'en ai pas. Il ne serait pas le premier à penser ça.

Pourquoi la plupart des gens croient-ils à tort que les personnes handicapées ne peuvent pas avoir de relations sexuelles, ne veulent pas de relations sexuelles ou ne s'intéressent tout simplement pas au sexe ?

Jamie était certainement très intéressé par le sexe, mais il était fatigué de devoir agir en solo. Il voulait un partenaire. Pendant sa rééducation, il avait demandé à l'un des médecins ce que son handicap lui permettrait encore de faire, sexuellement parlant. Il avait reçu une réponse déconcertante : qu'il fallait qu'il soit réaliste.

Dieu merci pour Jack.

Jamie l'avait rencontré à la salle de sport, il y avait quelques années de cela, et ils étaient devenus de bons amis depuis. La femme de Jack était elle aussi paraplégique, et Jamie étant Jamie, il lui avait posé des questions sur le sexe. Fort heureusement, Jack n'avait pas hésité à lui en parler, et la conversation qui en avait résulté avait donné de l'espoir à Jamie. Il y avait des gens qui étaient capables de voir l'homme et pas seulement le fauteuil roulant.

Il devait juste en trouver un.

Jamie se racla la gorge.

— Alors, est-ce que tu te cherches un endroit à toi ?

Stephen hocha la tête.

— Jusqu'à maintenant, rien ne m'a sauté aux yeux. De plus, mon budget est un peu serré. Ça ira mieux quand je commencerai à travailler.

— Où est-ce que tu cherches ?

— Partout à Boston, lui répondit Stephen en souriant. Et le plus tôt sera le mieux. Je m'étais habitué à vivre loin de chez mes parents lorsque j'étudiais.

Jamie ne put se retenir.

— Ah, tu veux dire que tu n'aimes pas être de retour chez papa maman ? Je me demande bien pourquoi. Alors nous ferions mieux de te trouver une solution de rechange, et rapidement, avant que tes parents te fassent perdre la tête.

Lorsque l'idée surgit, sa première pensée fut de la repousser. Il n'accepterait jamais. Puis Jamie reconsidéra les choses. Merde. Il pouvait toujours refuser, non ?

— Si tu veux vraiment décamper le plus tôt possible, j'ai une suggestion à te faire.

Stephen reposa sa cuillère dans son bol vide.

— Je suis ouvert à toute proposition.

— Et si tu emménageais ici ? Je ne te ferai pas payer de loyer, mais nous pourrions partager les factures. Et les courses.

Il sourit encore.

— Bien sûr, tu devras aussi participer aux tâches ménagères.

Stephen l'observa avec attention.

— Emménager ici ?

— Pourquoi pas ? Pense aux avantages. Nous nous connaissons. Tu pourras toujours continuer à te chercher un appartement, mais sans que tes parents regardent sans cesse par-dessus ton épaule. Tu auras de l'intimité.

Il désigna la chambre.

— Jette un coup d'œil à cet endroit. De toute évidence, je ne suis pas un plouc. J'ai une chambre d'amis que je n'utilise jamais. Nous partagerons la salle de bain, mais c'est correct, n'est-ce pas ?

Ce ne fut qu'à ce moment-là que Jamie réalisa à quel point il en avait envie. Il aimait son indépendance, mais avoir quelqu'un d'autre sous le même toit ?

— Ce serait super !

Une personne peut-elle se sentir seule sans vraiment s'en rendre compte ?

Après tout, il ne s'agissait pas de n'importe qui. C'était Stephen. Et soudain, il voulait vraiment que son meilleur ami accepte. Ce dernier lui sourit.

— Tu es clairement doué pour entretenir ta maison. Tu sais cuisiner.

Jamie lui adressa un faux regard noir.

— Je ne serai pas le seul à cuisiner, j'espère.

Il plissa les yeux.

— Est-ce que tu sais cuisiner ?

— Bien sûr… tant que ça se limite aux ramens.

Puis Stephen éclata de rire.

— Oui, je sais cuisiner.

— Ça ressemble à un oui.

Jamie croisa mentalement tous ses doigts et ses orteils. Stephen hocha la tête.

— C'est un oui, mais avec une réserve. Il faudrait d'abord que tu rendes visite à mes parents. Avant que je leur annonce la bonne nouvelle. Et puis, ce n'est pas comme s'ils ne mouraient pas d'envie de te voir de toute façon.

Jamie lui adressa un petit sourire.

— Dois-je passer un test ou quelque chose comme ça, avant qu'ils te laissent emménager avec moi ?

— Non. J'ai simplement pensé qu'il serait bon de… se reconnecter.

Jamie apprécia cela.

— Je suppose qu'ils sont au courant ?

Il n'eut pas besoin d'élaborer.

— Oui.

La réponse discrète de Stephen lui en apprit beaucoup, mais Jamie se savait capable de faire face aux regards compatissants de personnes qui l'avaient aimé par le passé.

— Est-ce que je peux voir ma chambre ?

Jamie se mit à rire.

— Tu ne perds pas de temps, hein ? Bien sûr. Je vais te faire faire le grand tour.

Il s'éloigna de la table et roula jusqu'à la porte. Stephen le suivit. Jamie désigna une porte de placard.

— C'est là que je range tous mes produits de nettoyage et des choses comme les ampoules. Les étagères du haut sont vides, si tu veux les utiliser.

Il se dirigea alors vers la porte qui se trouvait juste à côté.

— C'est ma chambre. Tu veux y jeter un coup d'œil ?

— Bien sûr.

Jamie poussa la porte et entra, Stephen toujours derrière lui.

— Tu vois ? Je sais même faire mon lit.

— C'est une chose qui s'est améliorée avec l'âge.

Jamie se retourna et lui jeta un regard indigné.

— Qu'est-ce que cela signifie ?

— Tu étais incapable de faire ton lit, même si c'était pour sauver ta vie. Ta mère trouvait toutes sortes de choses sous ta couette. Des chaussettes sales, des caleçons sales, des shorts de sport, des crackers…

— Une fois. Elle a trouvé des biscuits une seule fois, s'offusqua Jamie. Et je n'utilise plus mon lit comme panier à linge, d'accord ?

Stephen ouvrit le placard et laissa échapper un grand soupir.

— Oh mon Dieu ! Tu es devenu organisé.

— Connard !

Jamie sortit de la chambre.

— Je vais te montrer la salle de bain. Il faut que tu voies la douche.

Stephen le suivit dans la petite pièce. Jamie désigna du doigt la barre d'appui et la commode.

— C'est réglé à la même hauteur que mon fauteuil, seule la poignée glisse vers le bas pour que je puisse m'y transférer. Alors, n'ajuste rien lorsque tu la déplaceras, d'accord ?

— Compris.

Jamie écarta le rideau de douche.

— Je ne sais pas si tu aimes prendre des bains ou des douches. Je ne prends que des douches, et je m'assieds dessus.

Il désigna la chaise.

— Si tu prends un bain, contente-toi de tout remettre là où tu l'as trouvé. Et cela comprend le pommeau si tu prends une douche. Il pend pour une bonne raison.

— Bien noté.

Stephen examina la pièce. Jamie n'eut pas besoin de lire dans ses pensées pour savoir ce qui s'y déroulait.

— Tout va bien, dit-il tout bas. Je sais qu'il te

faudra du temps pour t'y habituer, mais c'est ma vie désormais, et elle me convient. Si tu penses ne pas pouvoir vivre avec tout ça, dis-le-moi maintenant.

C'était mieux de le savoir avant qu'ils n'aillent plus loin. Stephen secoua la tête.

— Je ne vais pas changer d'avis. C'est juste…

Il soupira.

— Je te trouve incroyable.

Jamie cligna des yeux.

— Pourquoi ?

— Parce que tu as tout appris sur le tas. Parce que tu es toujours Jamie, malgré tout ce qui t'est arrivé.

Il sourit.

— Crois-moi, je n'ai pas toujours été comme ça. Mais je n'allais pas laisser cet accident me vaincre, ce qui signifiait que je devais trouver ma voie.

Il se redressa sur son fauteuil.

— Maintenant… est-ce que tu veux voir ta chambre ? Elle est juste à côté.

Alors qu'il se dirigeait vers la chambre d'ami, Jamie se détendit légèrement.

On dirait bien que je me suis trouvé un colocataire.

Ils rencontreraient des problèmes au départ, il en était certain, mais rien qu'ils ne pourraient corriger avec le temps. Et ils auraient tous les deux besoin de s'adapter. Ce ne fut qu'en testant la fermeté du lit de Stephen qu'il pensa à quelque chose.

Et s'il voulait ramener une femme à la maison ?

Non pas que Jamie le lui interdirait. Il devrait simplement investir dans des bouchons d'oreille et travailler vraiment dur pour ne pas être jaloux comme l'enfer.

D'ailleurs, il devait se concentrer sur les pensées positives. Après tout, il pourrait lui aussi avoir à amener un homme dans sa chambre, pas vrai ?

Et nous pourrions avoir du sexe chaud et débridé toute la nuit...

Ce ne fut que plus tard qu'il comprit ce qui le tuerait vraiment, si Stephen ramenait une fille à la maison, et lorsque cela le frappa, sa poitrine se comprima :

Il voulait être celui qui était dans le lit de Stephen.

Chapitre 7

Stephen huma l'air en entrant dans la cuisine.

— Ça sent divinement bon.

Sa mère gloussa.

— Tout ce qui se mange sent bon à tes yeux. Je me souviens t'avoir vu te boucher le nez seulement une fois, lorsque j'ai acheté ce fromage qui sentait vraiment fort.

Il gémit.

— Ça sentait les pieds. Et tu voulais que je le mange.

Il observa le comptoir.

— Waouh ! Tu as vraiment tout misé sur ce déjeuner.

Non seulement elle avait préparé son délicieux pain de viande, mais il y avait également des macaronis au fromage, des pommes de terre grillées à l'ail, des brocolis, des carottes au parmesan et à l'ail, des petits pois et de la purée de pommes de terre. Sans parler de sa sauce. Il se mit à rire.

— Jamie a intérêt à porter un pantalon avec une ceinture élastique.

Elle fronça les sourcils.

— Est-ce que c'est trop ?

Stephen lui tapota le bras.

— Tu sais que rien de tout ça ne sera gaspillé. Papa adore les sandwiches au pain de viande, pour commencer. Et depuis quand jetons-nous des macaronis au fromage ?

Sa mère fronça les sourcils, mais sourit.

— Je voulais que tout soit spécial, après tout ce temps.

Stephen se rappela à quel point Jamie adorait la cuisine de sa mère.

— Il n'a pas tellement changé. Il va adorer tout ce que tu mettras devant lui.

Elle rit de bon cœur.

— J'ai toujours dit que ce garçon avait le ver solitaire. Il mangeait tellement, pourtant il était terriblement maigre.

— Il y a une corvette qui se gare dans l'allée, annonça son père depuis le salon.

— C'est Jamie, répondit Stephen en se dirigeant vers la porte d'entrée.

— Ce n'est pas lui qui conduit, n'est-ce pas ?

Il ignora la question et ouvrit la porte alors que Jamie coupait le moteur. Il sortit de sa voiture, garée derrière sa Toyota.

— J'espère que tu as faim. Maman a l'air de s'attendre à recevoir cinq mille personnes pour le déjeuner.

— Je meurs de faim.

Jamie tendit la main à l'arrière de sa voiture et commença à assembler son fauteuil roulant à côté de lui. Stephen était sur le point de lui offrir son aide lorsqu'il se ravisa. Jamie était plus que capable de le faire tout seul. Il attendit que Jamie se transfère dans son fauteuil.

— Oh mon Dieu, je peux sentir la nourriture d'ici.

Le visage de Jamie afficha un sourire enthousiaste.

— Dis-moi qu'elle a préparé quelques-uns de mes plats préférés ?

Stephen renifla.

— Tu peux parier là-dessus. Elle a tué le veau gras, c'est sûr.

Jamie fronça les sourcils.

— Tu lances beaucoup de références bibliques. Est-ce que tu as trouvé ton chemin jusqu'à Dieu en Californie ?

— Non. Il était trop occupé à surfer.

Jamie ricana.

— J'aime cette image. Dieu sur une planche de surf.

Il désigna du doigt le siège passager.

— Il y a un bouquet de fleurs pour ta mère. Est-ce que tu peux l'attraper ?

— Bien sûr.

Stephen ramassa le bouquet et inhala le sublime parfum des fleurs.

— Elle va adorer.

— C'est l'idée.

Jamie verrouilla sa voiture et se dirigea vers la maison. Puis il s'immobilisa avec un sourire en coin.

— Houston, nous avons un problème.

Stephen fronça les sourcils en suivant le regard de Jamie.

— Oh merde !

Jamie lui tapota le bras.

— Ça va. Je ne m'attendais pas à ce que vous construisiez une rampe, d'accord ? Mais j'aurai besoin d'un peu d'aide pour soulever le fauteuil sur ces marches.

— Bien sûr.

Stephen se dirigea vers la porte.

— Papa ? Tu peux venir ici une minute ?

Quelques secondes plus tard, son père apparut et écarquilla les yeux lorsqu'il aperçut Jamie. Stephen désigna le fauteuil.

— Si je prends l'arrière, peux-tu te charger de l'avant ? À nous deux, nous pouvons y arriver.

— Bien sûr.

Son père se précipita à l'extérieur tandis que Jamie pivotait, pour être dos à la porte. Il sourit.

— Est-ce que tu veux que je tienne les fleurs ? Parce que j'ai des visions de toi les écrasant pendant que tu essaies de me manœuvrer jusqu'à l'intérieur.

— Tiens.

Stephen les lui tendit, et Jamie les garda contre lui. Son meilleur ami dirigea alors son fauteuil jusqu'aux marches.

— Tu as déjà fait ça auparavant ?

— Euh, non.

— D'accord. Qui est le plus fort, ton père ou toi ?

— Lui, répondit son père sans la moindre hésitation.

— Dans ce cas, tu es au bon endroit.

Jamie leur fournit des instructions, et à eux deux, ils soulevèrent et firent rouler le fauteuil sur la première marche. Lorsqu'ils atteignirent le sommet, Stephen baissa doucement le fauteuil jusqu'à ce que les quatre roues touchent le sol. Jamie l'observa.

— Oh mon Dieu ! Je vais avoir le vertige, nous sommes si haut.

Stephen le frappa sur le bras.

— Tiens-toi correctement.

Son père fronça les sourcils. Jamie ricana.

— Tout va bien, monsieur Taylor. J'ai l'habitude qu'il me maltraite. Vous auriez dû voir ce qu'il m'a fait subir lorsque nous étions enfants. De la torture, c'est moi qui vous le dis !

Son père ouvrit et ferma la bouche, manifestement à court de mots. Stephen se tint sur place pendant que Jamie avançait, puis il lui désigna le salon.

— Si c'était plus étroit, j'aurais dû mettre mon fauteuil roulant au régime, plaisanta-t-il.

Stephen et son père le suivirent, et une fois à l'intérieur, son père alla se poster près de la cheminée, jetant des coups d'œil à Jamie avant de détourner le regard et de se racler la gorge. Sa mère entra dans la pièce et se figea.

— Oh. Jamie. Tu es là.

Jamie sourit.

— Oui, bonjour, Madame T. Vous n'avez pas changé du tout.

Sa mère lui adressa un faible sourire.

— Merci. Tu as l'air… plus vieux.

Jamie lui tendit les fleurs.

— Merci pour l'invitation.

— Oh ! Elles sont magnifiques.

Sa mère s'en empara et les posa immédiatement sur la table d'appoint.

— Eh bien, c'est bien.

Stephen en avait assez de cette atmosphère gênante, mais avant qu'il ne puisse dire quoi que ce soit, Jamie sourit.

— Eh bien, je n'ai plus le droit à un câlin ?

Ses paroles semblèrent être un catalyseur, puisque sa mère se pencha en avant et enroula ses bras autour des épaules de Jamie.

— Salut, Jamie. C'est bon de te revoir.

Sa voix contenait sa chaleur habituelle, et Stephen poussa intérieurement un soupir de soulagement. Son père s'avança, la main tendue, et Jamie la serra vigoureusement.

— C'est bon de vous revoir aussi, monsieur. Je vois que vous avez toujours cette poigne ferme. J'ai rencontré des gens qui se serrent la main comme s'ils manipulaient une laitue molle.

Sa mère éclata de rire.

— Tu n'as pas changé non plus. J'espère que tu as faim.

Les yeux de Jamie s'illuminèrent.

— Est-ce qu'un ours…

Il toussota.

— Oui, madame, je meurs de faim.

Sa mère se mordit la lèvre.

— Ça non plus, ça n'a pas changé, commenta-t-il

avec un sourire.

Stephen ne put y résister.

— Hé, maman, tu ne vas pas le croire. Jamie sait cuisiner.

Elle fronça les sourcils.

— C'est un grand pas en avant par rapport à ses tartes à la boue.

— Hé, je faisais d'excellentes tartes à la boue, s'offusqua Jamie. Il y avait la quantité parfaite de boue dans chacune d'elles.

— Oui, mais tu n'étais pas censé les manger, rétorqua sa mère.

— J'avais six ans !

Jamie croisa son regard.

— Ta mère semble avoir des souvenirs très précis à mon sujet. Ça promet un déjeuner embarrassant.

— Je suis sûr qu'elle se montrera gentille avec toi. N'est-ce pas, maman ?

Stephen sourit. Il aurait aimé que les années disparaissent, comme ça avait été le cas lorsqu'il était allé manger chez Jamie.

— Je suis à peu près certain de pouvoir supporter n'importe quoi en goûtant à nouveau à la cuisine de ta mère, déclara Jamie, les yeux étincelants.

Sa mère rit de bon cœur.

— Alors tu vas être très heureux. J'ai trois mots pour toi… macaronis au fromage.

Jamie poussa un gémissement.

— Je vous aime, madame T.

Sa mère riait encore en conduisant Jamie dans la salle à manger.

Jamie repoussa son assiette.

— Je crois que je ne pourrai rien avaler pendant une semaine. C'était délicieux.

Son père récupéra un des saladiers au centre de la table.

— Il reste encore un peu de purée. Ainsi que des pommes de terre à l'ail.

Stephen ne put s'empêcher de rire devant l'hésitation de Jamie.

— Si tu les manges, tu n'auras pas de place pour le dessert.

Jamie se figea.

— Il y a un dessert ?

Sa mère hocha la tête.

— De la tarte aux pêches. Avec de la crème glacée.

Jamie leva les mains en l'air.

— Ce n'est pas juste. Comme si un homme sain d'esprit pouvait résister à votre tarte à la pêche.

— Je suppose que ça veut dire que tu en veux un peu ?

— Que j'en veux un peu ?

Jamie écarta ses doigts à environ un centimètre l'un de l'autre, puis les élargit ensuite de trois ou quatre.

Sa mère éclata de rire.

— Ça, c'est le Jamie dont je me souviens.

Elle se leva de table et se rendit à la cuisine.

— Alors, Jamie, je me dois de poser la question, intervint son père en se servant des pommes de terre. Pourquoi une corvette ?

Jamie fronça les sourcils.

— Pourquoi pas ?

— C'est vrai, mais… je veux dire, il doit bien y avoir d'autres voitures plus pratiques pour toi.

Les yeux de Jamie étincelèrent.

— Où est le plaisir dans tout ce qui est pratique ? De plus, j'adore la conduire. Ce bébé sait comment bouger.

Il jeta à la dernière cuillère de pommes de terre un regard de pure nostalgie.

— Vous allez les manger ?

Son père ricana.

— Non, je t'en prie.

— Comment va Marie ? demanda Jamie après avoir avalé en poussant un soupir de pure extase.

Le visage de son père s'illumina.

— Elle se porte très bien. Elle est mariée et a deux enfants. Ils vivent à Carmel-by-the-sea. C'est un bon quartier pour élever des enfants.

Jamie poussa un soupir heureux.

— Je suis heureux de l'entendre. Dites-lui que je la salue lorsque vous lui parlerez. Quel âge ont ses enfants ?

— Natacha a six ans et Declan en a trois.

Stephen ne révéla rien. Marie n'avait pas encore partagé la nouvelle. Jamie sourit à nouveau.

— C'est merveilleux. J'aimerais avoir des enfants un jour.

Son père fronça les sourcils.

— Mais… je veux dire, ce serait difficile, non ?

Il se racla la gorge. Alors qu'il se levait de table, une pile d'assiettes à la main, Jamie remarqua le regard de Stephen et, sans être repéré par son père, il leva les yeux au ciel. Stephen l'observa avec surprise. Il attendit que son père quitte la pièce.

— Tu le penses vraiment ? Tu veux des enfants ?

Jamie cligna des yeux.

— Bien sûr. Pourquoi pas ? Je pense que je ferais un excellent père. Imagine à quel point mes enfants s'amuseraient, assis sur les genoux de leur père qui leur ferait faire un tour.

Il sourit, pourtant son expression devint plus sérieuse.

— Des gens dans un état bien pire que le mien ont des enfants et s'en sortent très bien. J'ai regardé cette émission de télévision sur une femme au Royaume-Uni, qui n'avait pas de bras, et elle a des enfants. Et c'est une mère formidable. Tout dépend de la façon dont tu vois les choses.

— Je suppose.

Stephen avait toujours été impressionné par la positivité de Jamie lorsqu'ils étaient enfants. C'était comme s'il y avait quelque chose en lui qui lui faisait constamment entrevoir le bon côté des choses. Stephen ne possédait pas un tel gène. Sa mère revint dans la pièce avec son plat à tarte, et toute conversation cessa entre eux, à l'exception des gémissements poussés par Jamie, qui firent rire Stephen.

Sa mère se retira alors pour préparer du café, et son père s'enfonça dans sa chaise.

— Stephen dit que tu as une maison. Je trouve cela admirable.

Jamie fronça les sourcils.

— Pourquoi ? Vous avez une maison vous aussi. C'est ce que les gens font, pas vrai ? S'installer ?

— Oui, mais… ça ne doit pas être facile.

Jamie haussa les épaules.

— Je ne vois pas pourquoi il serait difficile de posséder une maison. Bien sûr, ma vie est sur le point de changer, et ça promet d'être intéressant. Pas vrai, Stephen ?

Jamie lui jeta un coup d'œil.

— Oh ? Pourquoi ? s'enquit son père. Stephen ?

Merde ! Stephen avait prévu d'attendre jusqu'à ce qu'ils aient pris le café, mais puisque Jamie avait commencé… il ne savait pas vraiment pourquoi il n'en avait pas déjà parlé. Sa mère entra avec un plateau contenant la cafetière, ainsi que les tasses et les sous-tasses.

— Papa ? Maman ? Je sais que je vous ai dit que j'allais chercher une maison, mais j'ai pris une décision.

Stephen se redressa sur sa chaise.

— Je vais attendre un peu plus longtemps, jusqu'à ce que je puisse me permettre quelque chose que je veux vraiment, au lieu de faire avec ce qui correspond avec mon budget actuel.

— Est-ce que ça signifie que tu vas enfin défaire tes valises ? lui demanda sa mère. Tu ne peux pas continuer à vivre ainsi, pas si tu veux rester ici.

— En fait… je vais emménager avec Jamie. Il m'a demandé d'être son colocataire. Je ne serai donc plus dans vos pattes.

Elle fronça les sourcils.

— Tu ne nous déranges pas. Est-ce que c'est une bonne idée ? les interrompit son père. Il me semble que Jamie à ses propres… routines. Le fait de vivre là-bas pourrait sûrement rendre les choses… gênantes pour lui.

— Vous pouvez m'en parler directement, vous savez.

L'expression de Jamie était neutre.

— Je veux dire, je suis assis juste ici. Et je n'aurais pas fait cette offre, si j'avais pensé que Stephen me causerait du tort au quotidien.

Ses lèvres frémirent.

— Bien sûr, s'il commence à laisser traîner des serviettes mouillées sur le sol de la salle de bain, à ne pas remettre le bouchon sur le dentifrice et à utiliser toute l'eau chaude, alors nous pourrions devoir réévaluer la situation.

Il sourit.

— Je vais lui accorder une période d'essai.

Stephen ne put s'empêcher de rire.

— D'accord, M. Autoritaire. Je promets de ne pas me comporter comme un plouc, ça te va ?

— Est-ce que tu as réfléchi à tout ça, Jamie ? lui demanda sa mère. Après tout, tu as l'habitude de vivre seul.

— C'est pour cette raison que je trouve que ce serait génial d'avoir Stephen avec moi.

Jamie lui adressa un regard chaleureux.

— Après tout, ce n'est pas comme si nous étions des étrangers, pas vrai ? Et ce sera agréable pour moi d'avoir quelqu'un pour m'aider à nettoyer après les fêtes sauvages que j'organise une fois par semaine. Nous n'aurons qu'à surveiller l'intensité du bruit. Les voisins ont déjà appelé les flics la dernière fois.

Son père et sa mère fixèrent Jamie dans un état de confusion évident, et Stephen éclata de rire.

— Il se moque de vous, vous savez ?

Jamie fit une moue adorable.

— Oui. Je n'ai pas une vie aussi palpitante, je vous le promets. Mais ce sera merveilleux pour moi d'avoir Stephen à mes côtés.

Face à l'enthousiasme évident de Jamie, il savait que sa mère n'aurait pas le cœur de mettre plus d'obstacles sur leur chemin. Elle soupira.

— Vous deux. Je vous jure…

Jamie laissa échapper un souffle d'horreur simulée.

— Sûrement pas. À moins que vivre en Californie vous ait mis de fausses idées en tête ?

Elle lui jeta un coup d'œil.

— Jamie, tu n'as pas changé du tout.

Il répondit :

— Je sais. C'est génial, hein ?

Il contempla alors la cafetière.

— Maintenant, puis-je avoir du café ?

Sa mère gloussa en versant le délicieux breuvage

dans leurs tasses.

— Vos pauvres voisins. Ils ne savent pas ce qui les attend.

— Hé !

Stephen observa sa mère avec indignation. Cette dernière leva les yeux au ciel.

— Je peux le voir venir. Vous vous attiriez toujours des problèmes lorsque vous étiez enfants.

— Mais j'ai vingt-six ans, protesta Stephen. Je suis mature désormais.

Jamie ricana.

— Oui, c'est ça.

Ses parents rirent à leur tour. Stephen se servit un café, reconnaissant qu'ils aient pu franchir cet obstacle si facilement. Tout ce qu'il avait à faire désormais, c'était de déménager ses affaires chez Jamie et de s'habituer à vivre en collocation.

Il était impatient.

Chapitre 8

— C'est le dernier ? s'écria Jamie depuis la porte.

Stephen referma le coffre.

— Oui. Tout ce que je possède se trouve actuellement dans des cartons dans ton salon.

Il verrouilla sa voiture et se dirigea vers la maison.

— Hé, c'est aussi ton salon désormais, répliqua Jamie avec un sourire. Et décharger la voiture était la partie facile. Je pouvais t'aider, un peu. Maintenant, tu vas pouvoir défaire tes valises.

Stephen le suivit dans la maison et referma la porte derrière lui.

— Je suppose que je ferais mieux de vérifier si tout va rentrer.

Même si ça aurait pu être une bonne idée de le faire en premier. Il avait été agité toute la semaine à la perspective d'emménager, tellement que son père lui avait fait plusieurs remontrances au sujet de garder son esprit focalisé sur son travail. Ce qui était tout à fait juste, Stephen devait faire passer des entretiens à des employés éventuels, après tout. Il avait l'impression d'être à nouveau un enfant à l'approche des grandes vacances. Il n'avait pas réalisé jusqu'à ce déjeuner de dimanche, à quel point il désirait être loin de ses parents et de leurs regards scrutateurs.

Tu parles de quelqu'un de mature.

Ce n'était pas comme si Stephen était sur le point de sortir avec qui que ce soit, il devait encore panser les cicatrices mentales de sa dernière relation, mais au moins, désormais, il avait le choix, si l'occasion se présentait à lui.

Il entra dans sa chambre, et dans le placard. Ce n'était pas grand du tout, et il avait le sentiment qu'il n'allait pas pouvoir y caser tous ses vêtements. Un regard sur la chambre confirma ses craintes.

— Ça ne va pas marcher, murmura-t-il.

— De quoi tu parles ?

Jamie entra dans la chambre.

— Il n'y a aucun moyen que je fasse entrer toutes mes affaires ici. Il n'y a pas assez de rangements.

Pourquoi n'y avait-il pas pensé plus tôt ?

— Dans ce cas, allons au magasin acheter davantage de rangements, répliqua Jamie. Ce n'est pas un problème.

— Peut-être, mais ça demande du temps et des efforts.

Jamie ricana.

— Et alors ? Il suffit de le faire une fois, et ce sera terminé. Comme je te l'ai dit, ce n'est pas un problème.

Il jeta un regard circulaire dans la pièce.

— Et si nous commencions par ramener les cartons ici ?

— J'aurais dû les déposer directement là, gémit

Stephen. Maintenant, je vais devoir tout porter une deuxième fois.

Jamie renifla.

— Tu étais tellement pressé. Je vais m'assurer que nous avons suffisamment de café, pendant que tu commences à tout trier. Ensuite, tu pourras m'utiliser comme un cheval de bât si tu le souhaites, mais je ne pourrai transporter qu'un seul carton à la fois.

Il sortit de la chambre en roulant. Stephen secoua la tête. C'était comme lorsqu'ils étaient enfants. Peu importait où Stephen voyait un problème, Jamie trouvait toujours une solution. *Je devrais peut-être examiner la situation en essayant de voir ce que Jamie ferait à ma place.* Cette simple pensée le fit sourire. Il observa les meubles et essaya de visualiser comment il pouvait réaménager l'espace.

— Hé, Jamie ! Est-ce que je peux déplacer des choses ?

Il entendit le rire de son meilleur ami.

— C'est ta chambre, mec. Fais ce que tu veux. Seulement, ne déplace rien d'autre dans la maison. J'aime les choses comme elles sont, d'accord ?

Cela facilita les choses. Le bureau irait bien mieux sous la fenêtre, plutôt que coincé dans un coin. Il était logique de déplacer les meubles avant de commencer à apporter les cartons. Stephen essaya de le soulever, mais le meuble en bois était beaucoup trop lourd, alors il dut se résoudre à le faire glisser sur le sol. Il baissa les yeux et s'arrêta brusquement.

Putain !

Jamie entra dans la chambre, puis s'immobilisa.

— Qu'est-ce qui ne va pas ?

Stephen soupira.

— J'ai ruiné ton parquet.

Il regarda les égratignures sur le bois, là où un des pieds du bureau avait laissé une marque. Jamie suivit son regard et gloussa.

— Ce n'est pas la fin du monde. C'est une simple égratignure. C'est une réalité. Les planchers sont rayés, à moins de les recouvrir de moquette.

— Mais je ne suis même pas là depuis cinq minutes et je gâche déjà tout.

Jamie se tourna dans sa direction et attrapa sa main.

— Hé, dit-il d'une voix douce. Ce sont juste des objets, d'accord ? Et si tu veux vraiment bouger ce truc, je vais demander à Rob, le voisin d'à côté, de venir nous aider. C'est lui qui m'aide habituellement avec ce que je ne peux pas faire.

Il cligna des yeux.

— Ça n'arrive pas très souvent. Et pour être honnête, je l'invite seulement parce qu'il embellit l'endroit. Je vais l'appeler.

Avant que Stephen ne puisse protester, Jamie avait quitté la pièce. Ce fut seulement à ce moment-là que ses paroles l'atteignirent.

Rob embellit l'endroit ?

Cela semblait une chose étrange à dire. Mais encore une fois, Jamie avait tendance à dire des choses bizarres. Stephen n'avait pas oublié la manière dont il l'avait décrit lorsqu'ils s'étaient revus, la première fois. Ce n'était certainement pas ce à quoi il s'était attendu.

Savait-il à quel point cela le rendait gay ? Il sourit

intérieurement. Il avait l'impression que Jamie s'en fichait. Il disait ce qu'il pensait et s'attendait à ce que les gens composent avec. Stephen aurait adoré être plus comme ça.

Jamie le rejoignit, et Stephen s'assit sur le lit, une tasse de café sur la table de nuit, tandis que Jamie et lui cherchaient une commode en ligne. Jamie en trouva rapidement une parfaite, et Stephen la commanda. Il fixa le plancher abîmé.

— Je suis vraiment désolé.

Jamie émit un grognement.

— Est-ce que je dois te frapper ? C'est juste une égratignure. Et c'est mon parquet, pour l'amour de Dieu. Si je ne suis pas plus stressé que ça, tu ne devrais pas l'être non plus. Alors, recouvre-le avec un tapis, des meubles, et boucle-la.

Il sourit.

— Est-ce que tu as compris ?

— Oui, répondit Stephen avec une certaine réticence.

Jamie lui jeta un faux regard noir avant de ricaner.

— D'accord, d'accord, c'est compris.

— C'est mieux. Et en passant ? Il existe des kits pour réparer les égratignures dans les planchers en bois, et je viens juste d'en commander un.

Jamie afficha un air suffisant.

— Donc, nous n'allons plus en parler aujourd'hui, tu entends ? Maintenant, Rob a dit qu'il sera là dans une heure, alors que pouvons-nous faire en attendant ?

— Nous ?

Jamie leva les yeux au ciel.

— Eh bien… il est clair que tu as besoin de quelqu'un pour garder un œil sur toi. Et je suis capable de mettre des vêtements sur des cintres ou sur des étagères. Des étagères basses, naturellement.

Il sourit à nouveau.

— Allez, mec. Ces cartons ne vont pas bouger tout seuls, pas vrai ? Et je promets de ne pas me moquer de tes goûts vestimentaires.

Stephen renifla.

— J'ai déjà entendu ça.

Jamie écarquilla les yeux.

— Hé, depuis quand ai-je rompu une promesse ?

Stephen se frotta le menton.

— Voyons voir. Je promets que je ne dirai pas à ta mère que c'est toi qui as mangé toutes les fraises.

— Une fois, salaud.

— Non, ce n'est que le premier exemple qui me vient à l'esprit.

Stephen céda ensuite.

— Mais je suppose que le fait de me laisser emménager chez toi efface ton ardoise.

— Oh, merci.

La voix de Jamie était emplie de sarcasme. Il jeta un coup d'œil du côté de Stephen.

— Une ardoise propre, hein ? Je ferais mieux de trouver quelque chose de nouveau dans ce cas.

Stephen croisa son regard.

— Et si tu ne le faisais pas ? Si tu agissais comme un adulte ?

Jamie renifla.

— Où serait le plaisir là-dedans ? Maintenant, si tu veux bien m'excuser, je vais trouver une boîte que A : je peux atteindre, et B : je peux porter. Sinon, nous y serons encore à la tombée de la nuit. Le temps, c'est de l'argent, comme disait ta grand-mère.

Et avec ça, il sortit de la pièce. Stephen sourit. Une chose était sûre à propos du fait de vivre avec Jamie, il n'allait pas s'ennuyer.

— Je pensais que tu mangeais sainement, déclara Stephen en refermant la porte, un carton de pizza à la main. Depuis quand la pizza est-elle saine ?

Jamie l'observa fixement.

— Tu avais envie de cuisiner ce soir, après avoir déballé tous ces cartons, ces sacs et ces valises ? Non ? Eh bien, flash info, moi non plus. Nous l'avons mérité. Et il y a des bouteilles de bière dans le réfrigérateur avec nos noms écrits dessus. Je pense que nous les avons méritées.

— Nous aurions dû demander à Rob s'il voulait rester pour dîner, réfléchit Stephen en inspirant le merveilleux arôme que dégageait la boîte à pizza.

Rob s'était avéré être un grand type avec beaucoup de muscles, qui avait déplacé le bureau comme s'il était fait de carton. Stephen pouvait aisément comprendre pourquoi Jamie avait remarqué son apparence, il était difficile de ne pas regarder Rob.

Jamie ricana.

— Pas question. J'ai déjà vu comment il mange. Je suis allé chez lui une fois pour un barbecue. Je pense qu'il a dévoré la moitié d'un cochon à lui tout seul. Il doit tout brûler à la salle de sport, où il passe énormément de temps.

— Comment tu le sais ?

Jamie sourit.

— Il y a une grande boulangerie à côté de sa salle de sport. Ils font les meilleurs roulés à la cannelle. Rob m'en apporte toujours un quand il y va.

Il se tapota le ventre.

— Ce qui me donne encore plus de travail à la salle de sport, mais crois-moi, ça en vaut la peine.

Stephen suivit Jamie dans la cuisine, où il récupéra les bières tandis que Stephen cherchait des serviettes en papier pour la pizza. Puis il se dirigea vers la table. Lorsqu'il ouvrit le carton, Stéphane grogna.

— Il y a des champignons dessus. J'aurais dû préciser sans champignons.

Il avait laissé Jamie commander sans même tenir compte des garnitures. Jamie se moqua de lui.

— Il y a des champignons dessus. La belle affaire.

Il leva les yeux au ciel.

— Le monde ne va pas s'arrêter de tourner à cause de quelques champignons. Je vais tous les ramasser et les coller de mon côté de la pizza.

Il se servit d'une roulette à pizza en faisant claquer sa langue. Stephen le fixa.

— Comment tu fais ça ?

— Faire quoi ?

Jamie avait la bouche pleine, alors il se força à

avaler et dit :

— Désolé.

— Comment fais-tu pour toujours voir le bon côté des choses ? Même lorsque nous étions enfants, tu agissais de la même façon. Pourtant, j'aurais pensé…

Il s'interrompit, refusant de poursuivre de peur de mettre les pieds dans le plat. Jamie le scruta avec attention.

— Termine ta phrase. Qu'aurais-tu pensé ?

Il n'avait plus moyen de reculer.

— Je ne comprends tout simplement pas. Si ce qui t'est arrivé m'était arrivé, à moi, je ne m'en sortirais pas comme tu le fais. Je te regarde te balader dans ce fauteuil, rire, plaisanter, trouver du plaisir dans la vie…

Jamie pencha la tête sur le côté.

— Tu penses que je m'en sors bien ?

— Ce n'est pas le cas ? Regarde-toi. Tu pourrais être la vedette d'une série télé appelée Happy.

C'était rare que son sourire n'atteigne pas ses yeux.

Jamie déposa sa part de pizza et s'essuya les doigts sur une serviette, avant de croiser le regard de Stephen.

— Tu oublies toujours quelque chose. Tu me vois maintenant, huit ans après l'accident. Tu ne m'as pas vu dans les mois qui ont suivi. L'année suivante, pour être plus précis.

— Alors dis-moi comment c'était.

Parce que Stephen voulait savoir. Les paroles de Marie étaient gravées dans sa mémoire.

Et si Jamie se forçait à afficher un visage courageux pour le monde, pour moi ?

Jamie ne répondit rien pendant un instant, se contentant de scruter son visage, comme s'il débattait quant à ce qu'il devait dire ou non. Puis il poussa un profond soupir.

— Que veux-tu savoir ? Ce que ça m'a fait de me réveiller allongé dans un lit d'hôpital et de penser que ma vie était terminée à dix-huit ans ? Comment j'ai cru que je ne pourrais plus jamais être heureux ? Veux-tu entendre comment j'ai fait mon deuil ?

La voix de Jamie s'estompa pour ne devenir pas plus qu'un murmure.

— Comment j'ai refusé d'accepter ce que les médecins me disaient ? Comment je m'en prenais aux infirmières, à mes parents ? Parce que j'ai vécu toutes ces choses, et plus encore.

— Je ne t'ai jamais vu en colère, murmura Stephen, le cœur brisé pour son ami.

— Crois-moi, ce n'était pas beau à voir. Et mon cœur se brise maintenant quand je repense au visage de ma mère. Elle ne méritait pas ça. Aucun de mes parents ne méritait ça. Ils m'ont tellement aidé. Au début, je ne croyais pas les médecins lorsqu'ils me disaient que ma paralysie était permanente. Je refusais de manger. Je me sentais abattu. Déprimé. En colère.

— Est-ce que tu t'en es voulu pour ton accident ?

Son visage s'assombrit.

— Tu sais, je t'ai demandé si tu avais trouvé Dieu en Californie ? Eh bien, pendant des semaines après le diagnostic, j'ai essayé de m'entretenir avec lui. Je l'ai supplié de me refaire marcher en échange de n'importe quoi. Tu vois le tableau. Seulement, il n'écoutait pas. Soit ça, soit il n'était pas là pour m'entendre. Et au fil des semaines et des mois, j'ai fait comme si j'avais accepté la situation, mais tu sais quoi ? C'était un putain de mensonge. Ces paroles ont peut-être quitté ma bouche, mais ce que j'avais en tête, c'était que mon travail acharné en thérapie allait me mener à la guérison, et j'ai essayé si fort pour que ça arrive.

Jamie déglutit, puis prit une profonde inspiration.

— Tu n'as aucune idée de la quantité de travail et d'efforts conscients qu'il faut pour maintenir une attitude positive. Parce qu'il serait beaucoup trop facile de laisser mon subconscient prendre le contrôle et choisir l'autre alternative. Je ne nie ni ne rejette ce sentiment que j'avais, parce qu'à l'époque il était valable. Mais j'ai pris une décision, il y a longtemps. J'ai réalisé que mon avenir ne serait pas sain si je continuais à penser de cette façon, alors…

— Alors, tu as repoussé ces pensées, conclut Stephen. Parce que ce n'est pas dans ta nature de te laisser abattre trop longtemps.

Il sourit.

— Mange ta pizza avant qu'elle refroidisse.

Jamie s'esclaffa.

— Il n'y a rien de mal avec de la pizza froide.

Cependant, il tremblait. Stephen prit sa main dans la sienne.

— Merci de me permettre d'entrer. Et je ne parle pas de cette maison.

Jamie baissa les yeux sur leurs mains entrelacées.

— Je savais que je te le dirais tôt ou tard. Je

n'avais tout simplement pas prévu quand.

Stephen lui serra la main.

— L'autre jour, quand j'ai dit que tu étais incroyable. Je pense que tu es bien au-delà de ça.

Le visage de Jamie rougit lorsqu'il releva le menton pour croiser son regard.

— Vu que nous sommes honnêtes l'un envers l'autre, dit-il en souriant. Je suis heureux de t'avoir laissé entrer, moi aussi. Maintenant, mangeons.

Ils mangèrent jusqu'à ce qu'il ne reste plus une miette, et Stephen s'autorisa une seconde bière. Jamie refusa, disant qu'il ne buvait pas beaucoup.

— Je pense que je vais regarder un film dans ma chambre. Est-ce que tu veux te joindre à moi ?

Stephen sourit.

— Que penses-tu regarder ?

— Oh, quelque chose avec des poursuites en voiture.

Jamie croisa son regard.

— Pas de nourriture, d'accord ? Je ne veux pas retrouver des miettes de biscuits dans ma raie des fesses demain matin.

Stephen ricana.

— D'accord. Prépare-toi. Je suis épuisé. Je n'arriverai peut-être pas à voir la fin du film.

Le sourire de Jamie fut plus éblouissant que jamais.

— Ce n'est pas grave. Si tu ronfles, tu te réveilleras probablement par terre.

Il désigna la boîte à pizza et les bouteilles de bière.

— Occupe-toi des ordures, je vais préparer le film.

Il s'écarta de la table. Stephen ramassa le tout et les jeta dans la poubelle de recyclage, gardée par Jamie à côté de la porte arrière. Ça avait été une longue journée, mais il avait accompli beaucoup de choses. Il avait une nouvelle maison, et Jamie allait être un super colocataire. Après l'avoir entendu parler de toute la douleur qu'il avait endurée, il avait réalisé à quel point Jamie était fort.

Et combien il était reconnaissant d'avoir choisi de se rendre à l'étang ce jour-là.

Pourquoi tous les hommes que j'ai rencontrés n'étaient pas comme toi ?

Parce que la vie de Stephen aurait pu être si différente alors.

Si j'avais rencontré quelqu'un comme Jamie, je serais tombé amoureux de lui.

C'était bien tout le problème. Il était tombé amoureux plusieurs fois et très rapidement. Et l'histoire se déroulait toujours de la même façon. Du délicieux sexe pour commencer, l'euphorie de se sentir connecté avec quelqu'un, puis, peu à peu, leurs vraies natures émergeaient, écrasant ses espoirs et ses rêves dans un profond et mauvais désordre, cédant le pas à une relation abusive de plus.

On pourrait penser que j'aurais retenu la leçon. Mais j'ai continué de répéter la même erreur stupide.

Plus maintenant. Cette vie était terminée. Il l'avait laissée derrière lui, en Californie. Une pensée le frappa avec la force d'un bélier.

Il avait désormais une nouvelle vie, bien sûr, mais une chose n'avait pas changé… lui.

Et si le problème était toujours en moi ? Et si j'étais le genre de gars qui émet une sorte de signal qui n'attire que les connards ?

Si c'était le cas, il était peut-être temps pour lui d'envisager de rester célibataire. À moins, bien sûr, qu'il puisse rencontrer un clone de Jamie.

C'est ça. Comme si une telle chose pouvait arriver.

Chapitre 9

— Jamie. Jamie.

Il tourna la tête vers la porte du salon.

— Hum ?

Il s'était perdu dans la codification du nouveau site Internet sur lequel il avait commencé à travailler la semaine précédente. Stephen se mit à rire.

— La terre à Jamie. Je t'appelle depuis deux minutes pour savoir s'il y a quoi que ce soit dont nous avons besoin. Je peux passer au magasin en rentrant du travail.

Jamie secoua la tête.

— Non, rien. À moins que…

Il adressa un sourire à Stephen. Ce dernier leva les yeux au ciel.

— Qu'est-ce qu'il y a ? Davantage de crème glacée ? Des roulés à la cannelle ? Ton ami Rob ne va pas t'en ramener à un moment donné aujourd'hui ?

— J'allais dire que nous avons besoin de nettoyant pour les toilettes.

Il marqua un temps d'arrêt.

— Ensuite, j'allais te dire d'acheter plus de crème

glacée.

— Évidemment. Menthe chocolat ou Rocky Road ?

Jamie leva les yeux au ciel.

— Les deux. C'est évident.

Stephen assombrit son regard.

— Est-ce que tu as déjeuné ?

— Non, maman.

Il avait allumé son ordinateur pour jeter un coup d'œil à quelque chose, et voilà comment il avait été attiré dans le terrier du lapin.

— Je vais manger quelque chose, d'accord ? Alors sois un bon petit comptable et passe une journée excitante.

Il ricana.

— Sauf que ce serait une erreur sur les deux plans, parce que tu n'es certainement pas petit, et nous savons tous que la comptabilité est aussi ennuyeuse que…

— C'est possible. Je m'en vais avant que tu me jettes au visage une autre blague de comptable de ton vaste répertoire.

Jamie croisa son regard.

— Mais je n'en suis qu'à cinquante-six. J'en ai encore tellement à partager !

Stephen se contenta de rire et de lui faire signe.

— À ce soir.

Puis, il s'en alla. Jamie sourit. Stephen avait emménagé le samedi précédent, et il avait déjà l'impression qu'il faisait partie des meubles. C'était un bon début, sauf pour une chose. Il n'avait toujours pas réussi à l'intercepter en sortant de la douche.

Parce que… quel était l'intérêt de vivre avec un homme magnifique s'il n'avait même pas la chance de le voir nu ? Non pas que ce soit un souhait très sérieux.

D'accord, peut-être un peu. Jamie était assez honnête avec lui-même pour l'admettre.

Son téléphone sonna alors qu'il se dirigeait vers la cuisine. Il regarda l'écran et cliqua sur répondre.

— Bonjour.

— Alors, vous ne vous êtes pas encore entretués ?

Il pouvait entendre le rire dans la voix de sa mère.

— Accorde-lui un peu de temps. Nous n'en sommes qu'au troisième jour. Il vient de partir pour le bureau.

— Tu crois que ça va marcher ?

Jamie pensait sincèrement que tout irait bien.

— Oui. Que puis-je faire pour toi ?

Sa mère n'était pas du genre à appeler sans raison.

— J'appelle parce que quelqu'un ne m'a pas confirmé qu'il viendrait à la fête de samedi.

— Oh, merde ! Ce samedi ?

— Oui, mon cher. Ce samedi. Il se trouve que c'est le même jour que notre anniversaire de mariage. Nos noces d'argent. Imagine ça.

Il soupira.

— Je suis désolé. Ça m'est sorti de la tête, à cause de l'arrivée brutale de Stephen dans ma vie.

— En parlant de Stephen… tu l'amènes avec toi ? Vu que nous n'avons pas encore eu la chance de poser les yeux sur lui.

— Ce serait cruel. Pourquoi voudrais-je le soumettre à toute ma famille, que je n'ai pas vue depuis mon enfance ? Et ne me dis pas que j'ai tort, parce que Liz m'a montré la liste des invités, il y a des mois de ça.

Jamie savait pourquoi il avait tardé à donner sa réponse quant à sa participation à la fête. Pourquoi diable voudrait-il rencontrer tant de personnes qui seraient tenues de contempler son fauteuil roulant et de tomber dans des silences embarrassants, avant de lui adresser des paroles sympathiques, ou pire compatissantes ?

Il reconsidéra la situation. La présence de Stephen améliorerait les choses. Au moins, il aurait un allié à ses côtés, puisque ses parents seraient trop occupés pour lui venir en aide.

— Tu n'es pas forcé de venir.

Jamie ne manqua pas la douleur dans ses paroles. Comme s'il la décevait.

— Je serai là, la rassura-t-il. Et lorsque Stephen rentrera à la maison ce soir, je lui demanderai, d'accord ?

— Ce serait vraiment formidable de le voir.

Jamie sourit.

— Ton deuxième fils t'a manqué, pas vrai ?

Lorsqu'ils étaient enfants, Liz le taquinait en disant que leurs parents aimaient Stephen plus que lui.

— Bien sûr que oui. Je veux tout savoir de sa vie en Californie.

Ils étaient deux. Stephen n'en parlait pas beaucoup. Jamie commençait à avoir le sentiment que son meilleur ami lui cachait quelque chose.

— Est-ce qu'il a beaucoup changé ? À part le fait d'être devenu un géant ?

Jamie ne savait pas comment exprimer ses sentiments à ce sujet.

— Tu te souviens d'à quel point nous riions lorsque nous étions ensemble ?

Sa mère gloussa.

— Je me souviens de vous avoir souvent demandé d'arrêter de rire et d'aller dormir chaque fois qu'il restait à la maison.

— Eh bien… il me fait toujours rire, mais…

Jamie repensa à leur conversation le jour de son emménagement.

— Dirais-tu que nous étions semblables à l'époque ?

Sa mère s'esclaffa.

— Non, pas du tout. D'accord, vous aviez beaucoup de choses en commun, mais vous étiez deux enfants très différents.

— Je pense que nous le sommes toujours, seulement, maintenant, la différence est plus… prononcée.

— C'est inévitable. Vous êtes désormais des adultes. Vous avez tous les deux vécu des expériences différentes.

Une pause.

— Une chose n'a pas changé chez toi, mon chéri. Tu es toujours mon rayon de soleil. Mon merveilleux fils qui voit le positif dans chaque situation.

Et juste comme ça, elle l'avait cloué sur place.

— Ce n'est pas le cas de Stephen. C'est comme si son défaut à lui était de toujours voir le pire. D'accord, peut-être que j'exagère, mais les choses les plus petites se produisent et il en fait des montagnes.

Il n'était pas comme ça lorsqu'il était enfant.

— Chéri, c'est ton contraire, c'est tout. C'est peut-être un homme à moitié vide. Nous ne pouvons pas tous être comme toi, à toujours voir le verre à moitié plein.

Il ne voulait pas lui dire à quel point il travaillait dur pour garder son côté positif. C'était un état d'esprit, et parfois, il chancelait, mais il retrouvait toujours son chemin.

— Peut-être que s'il passe plus de temps avec toi, ton attitude déteindra sur lui, suggéra sa mère.

Jamie ne put s'empêcher de sourire.

— Tu penses ?

Sa mère ricana.

— Je défie quiconque de rester près de toi pendant un certain temps et de ne pas être touché par ton…

— Côté solaire ?

Elle avait toujours parlé ainsi de sa nature positive.

— Oui, mon chéri, de ton soleil. Maintenant, je vais te laisser continuer ta journée, j'ai hâte de te voir samedi. Avec Stephen.

Jamie avait bien compris le message.

— Je vais m'assurer qu'il soit présent.

Non pas que, selon lui, ce dernier refuserait l'opportunité de voir ses parents. Cependant, il pourrait hésiter à l'idée de devoir affronter une foule de membres de sa famille. Il mit fin à l'appel. Alors qu'il se versait des céréales dans un bol, il se posa des questions sur Stephen.

Que lui est-il arrivé pour le rendre comme ça ?

Jamie croyait fermement que la vie de la plupart des gens était façonnée par les circonstances. Il était persuadé que nous avions tous le choix d'accepter ou non ces circonstances. Il avait choisi de combattre sa dépression, sa colère et sa tendance à s'apitoyer sur son sort.

Jamie avait choisi de vivre pleinement sa vie. Était-ce une erreur de vouloir que Stephen en fasse de même ?

Jamie était allongé sur le ventre, sur son lit, et poussait le haut de son corps vers le haut à l'aide de ses bras. C'était l'une des séries d'étirements qu'il entreprenait chaque jour. Les muscles fléchisseurs de sa hanche avaient tendance à se crisper, et il travaillait dessus pour éviter ça. Une fois cette session terminée, il roula sur le dos et tira un genou jusqu'à son torse et le maintint en place.

— Tu es occupé ? lui demanda Stephen à travers la porte fermée.

— En quelque sorte, mais tu peux entrer.

Stephen s'exécuta et se figea sur place.

— Oh, tu es occupé.

Jamie ricana.

— Assieds-toi sur cette chaise et parle. Je peux

discuter et faire mes étirements en même temps, tu sais.

Il relâcha sa jambe et en fit de même avec la seconde. Il lui restait encore quatorze étirements à faire. Après un moment, il prit conscience du regard de Stephen sur lui. Jamie était simplement vêtu de son short et était torse nu.

Tu aimes ce que tu vois, Stephen ?

Il se sermonna mentalement.

Seigneur, je dois arrêter avec ce genre de pensées.

Et cela incluait également ses fantasmes nocturnes. Dans ces derniers, il s'allongeait sur son lit et imaginait que Stephen le tenait dans ses bras, l'embrassait. Jamie donnerait n'importe quoi pour recevoir un baiser de la part de Stephen, un baiser à lui faire recroqueviller les orteils.

Sauf que je ne peux plus les bouger...

Mais l'idée était là.

— À quelle fréquence dois-tu faire ça ? demanda Stephen en s'asseyant.

— Tous les jours.

Jamie croisa son regard.

— Quoi de neuf ? As-tu déjà changé d'avis au sujet de ta participation à la fête ?

Stephen se mit à rire.

— Bien sûr que non. Ce sera génial de revoir tes parents. J'ai hâte de voir ce que Liz est devenue.

— Liz est baignée d'amour, répondit Jamie avec un sourire alors qu'il se mettait en position assise. Phil est un type formidable, je suis vraiment heureux pour elle. Le dernier gars avec qui elle est sortie était un trou du cul.

Il porta son genou jusqu'à son torse, se tenant la cheville pendant qu'il repoussait le genou pendant trente secondes. Puis il remarqua que Stephen était devenu silencieux. Il était en train de le fixer, clairement perdu dans ses pensées.

— D'accord, à quoi est-ce que tu penses ?

— Je me disais que… tes jambes ont l'air bien.

Jamie sourit.

— Merci. Je travaille énormément pour m'assurer que ça reste ainsi. Ces étirements fonctionnent à l'intérieur et à l'extérieur de la jambe.

Il continua, conscient une fois de plus de l'examen minutieux de Stephen. Jamie ne s'en souciait guère. La partie la plus difficile pour lui était de résister à l'envie de se cambrer pour lui.

— Pourquoi était-il un connard ?

Il fallut une ou deux secondes à Jamie pour joindre les deux bouts.

— Oh. Liz. C'est vrai. Il était violent. Nous ne l'avons su que lorsqu'elle s'est enfin éloignée de lui.

Jamie grimaça.

— J'aimerais pouvoir mettre la main sur lui.

Il secoua la tête.

— Pourquoi les gens restent-ils avec des connards comme ça ? Je veux dire, elle est intelligente. Pourquoi est-elle restée aussi longtemps ?

— Peut-être pensait-elle qu'elle n'intéresserait personne d'autre, suggéra Stephen. Il valait mieux au moins être dans cette relation que d'être seule. Peut-être pensait-elle que c'était sa faute. Il a aussi pu lui promettre qu'il changerait, et elle l'a cru. Peut-être qu'elle pensait que les choses s'amélioreraient.

Il marqua un temps d'arrêt.

— Il y a des gens qui pensent que s'accrocher à quelque chose les rend plus fort, alors qu'il faut parfois davantage de force pour lâcher prise.

Jamie se figea et l'observa.

— C'est très profond.

Et attachant. Il y avait un homme doux et gentil qui se cachait derrière cette façade parfois pessimiste. Stephen haussa les épaules.

— J'ai dû lire ça quelque part. Quoi qu'il en soit, je suis venu te demander si tu voulais un chocolat chaud avant de te coucher. J'ai envie d'en faire.

— Ce serait formidable. Et ce serait encore mieux si tu buvais le tien ici pendant que je termine.

Lorsque Stephen lui jeta un coup d'œil, Jamie sourit.

— J'ai envie d'avoir de la compagnie.

— Bien sûr.

Stephen se leva et quitta la pièce. Jamie s'assit contre les oreillers et croisa une jambe sur l'autre pour travailler ses orteils et ses chevilles, son esprit ressassant les paroles de Stephen. C'était comme s'il avait été là lorsque sa sœur et lui avaient enfin parlé. Elle lui avait donné les mêmes raisons.

C'est évidemment un homme sage. Et doux. Gentil. Très gentil.

Quelques minutes plus tard, Stephen revint, deux tasses à la main. Il en plaça une sur la table de nuit et reprit place sur la chaise.

— Tu te souviens quand tu es venu avec nous en vacances en Floride, chez ma grand-mère, quand elle a déménagé là-bas ?

Jamie sourit.

— C'était un été fantastique.

Ils avaient passé toutes leurs journées à la plage et il était rentré avec un beau bronzage. Ça avait été leur dernier été avant le déménagement en Californie.

— Je repensais aux méduses que tu trouvais sans cesse sur la plage.

Les yeux de Stephen s'illuminèrent.

— Et à toi dans la piscine. Je n'ai jamais pu te suivre.

— Je pense que je te donnerais encore du fil à retordre aujourd'hui.

Stephen cligna des yeux.

— Tu nages encore ?

Son visage se crispa.

— Je suis désolé. J'ai encore recommencé, pas vrai ?

Jamie croisa son regard.

— As-tu déjà entendu parler de quelque chose qui s'appelle les jeux paralympiques ? Tu sais, des athlètes qui participent à des compétitions sportives, où tous sont handicapés ?

Il céda.

— Tout va bien. Tu as eu cinq minutes pour t'habituer à tout ça, je comprends. Et tu piquerais très certainement une crise si tu savais ce que j'envisage de faire cet hiver.

— Quoi ? Dis-moi.

Jamie sourit.

— Aller skier dans le Vermont. Tu veux te joindre à moi ?

Il lança sa dernière phrase comme une plaisanterie, mais à sa plus grande surprise, le visage de Stephen s'illumina.

— Sérieusement ? J'adorerais essayer. J'ai toujours voulu apprendre à skier.

Jamie l'observa fixement.

— Nous pourrions le faire. Le programme de sports d'hiver commence après Noël. Tu veux que j'étudie la question ?

— Oui. Ça semble être une idée excellente.

Stephen lui jeta un regard réfléchi.

— Je suppose que je dois arrêter de te sous-estimer, pas vrai ?

— Maintenant, tu comprends.

Jamie sourit.

— Est-ce que ça signifie que tu serais prêt à tenter le parapente aussi ?

Lorsque les yeux de Stephen s'écarquillèrent et que sa bouche s'ouvrit, il éclata de rire.

— C'est peut-être un peu trop loin de ta zone de confort.

Stephen serra les dents.

— Tout ce que tu peux faire…

Jamie éclata de rire.

— Voilà le Stephen dont je me souviens. Seigneur, les choses que je t'ai défié de faire…

Stephen grimaça.

— Oui. Comme manger un ver.

Jamie hocha la tête.

— Je suis toujours étonné que tu l'aies fait.

— Si tu étais capable de le faire, moi aussi, répliqua Stephen.

— Oui, à ce sujet…

Les joues de Jamie rougirent.

— Je ne l'ai pas fait.

— Tu n'as pas fait quoi ?

— Manger le ver. J'ai fait semblant. Il a fini dans ma poche.

Stephen croisa son regard.

— J'ai vomi à cause de toi.

— Comment pouvais-je savoir que tu le ferais vraiment ?

— Euh. Parce que tu m'as défié ?

Ils se regardèrent un moment, puis éclatèrent de rire. Jamie s'affaissa contre ses oreillers, plus heureux qu'il ne l'avait été depuis une éternité.

— Alors… penses-tu participer aux prochains jeux paralympiques ? demanda Stephen après avoir siroté son chocolat chaud.

Il rit et fléchit les bras.

— Il y a les gens doués, puis il y a la classe mondiale. Je pense que j'appartiens à la première catégorie. Mais merci pour le compliment.

Stephen sourit.

— J'essaie simplement de ne pas te sous-estimer.

Jamie enroula ses mains autour de sa tasse.

— Tu apprends clairement rapidement.

Pendant qu'il buvait, il étudiait Stephen, et de nombreuses pensées lui traversèrent l'esprit. Il se rendit compte qu'il avait à présent une autre théorie pour expliquer la grande sagesse de Stephen… il avait connu quelqu'un dans la même situation.

Il y a tellement de choses que je ne sais pas sur toi…

Il haussa les épaules. Ils avaient désormais beaucoup de temps pour tout apprendre l'un de l'autre. Il y avait un inconvénient à cela, bien sûr. Jamie n'était pas certain de savoir à quel point il était prêt à partager sa vie personnelle avec Stephen.

C'étaient des choses « qu'il fallait savoir », mais de son point de vue, Stephen n'avait certainement pas besoin de le savoir.

Il se rendit alors compte que ce dernier fixait son torse.

— D'ailleurs, dit-il de façon nonchalante, chaque fois que tu voudras venir ici pour me regarder faire mes étirements, tu seras le bienvenu.

Il sourit.

— Tu n'as même pas besoin d'acheter un billet, je te réserve une place au premier rang.

Stephen renifla.

— Tu as toujours été du genre exhibitionniste. Tu te rappelles la fois où tu m'as défié de courir dans le jardin avec toi, tout nu ?

— Oui, et à la dernière minute, tu t'es dégonflé.

Stephen leva les yeux au ciel.

— Il faisait jour. Ta mère était à la maison.

Jamie l'observa fixement.

— Ça faisait partie de l'excitation, mec. Le frisson de se faire prendre. Et elle ne m'a pas attrapé, pas vrai ?

— Non, mais ton voisin d'en face en a pris plein

les yeux.

Stephen gloussa.

— Enfin pas tant que ça, pas avec ta petite bite.

Jamie ne put résister.

— Elle a grossi depuis.

Son cœur se mit à tambouriner dans sa poitrine.

— Tu veux voir ?

Stephen cligna des yeux, avant de sourire.

— Je pense que je vais passer mon tour.

Jamie agita sa main.

— C'est bon. Je m'assurerai de l'inclure dans la prochaine séance d'étirements. Je dois garder les spectateurs heureux, n'est-ce pas la clé du succès ?

L'image était juste là, sous son crâne, lui, nu, son corps tendu, pendant qu'il étirait ses fléchisseurs, son cul dressé pour le spectacle.

Arrête ça.

Une pensée refusa de s'écarter.

À quoi ressemble ta bite aujourd'hui, Stephen ?

Chapitre 10

Jamie posa ses vêtements sur le lit. Il n'y avait aucun moyen qu'il aille à la fête de ses parents en empestant la transpiration. Il avait choisi de porter un jean ample qui, heureusement, n'avait pas de déchirures à la mode, ainsi qu'une chemise bleu foncé avec une cravate assortie. Ces chaussures noires étaient cirées et l'attendaient sur la commode.

Il entendit le bruit de l'eau. Jamie roula furieusement vers la porte de la salle de bain et la martela.

— Hé ! Tu ne m'as pas dit que tu devais prendre une douche.

— Je ne serai pas long, cria Stephen en réponse.

— D'accord, nouvelle règle dans la maison. Lorsque nous avons tous les deux besoin de prendre une douche, le corps handicapé a préséance sur le corps valide.

Il lui fallait plus de temps que Stephen pour pouvoir prendre sa douche.

— Tu veux que j'arrête de me doucher pour que tu puisses entrer, ou ai-je le droit de finir ?

Ça lui brûlait le bout de la langue de dire « nous

pourrions économiser l'eau et nous doucher ensemble », mais, fort heureusement, il savait qu'il valait mieux s'abstenir. Qu'il valait mieux arrêter de penser à ce à quoi il ressemblait entièrement nu.

Humpf.

Jamie retourna dans sa chambre, conscient que Stephen était en train de chanter « Love on Top » dans le simple but de l'énerver. Il sourit.

Que pouvait-il en savoir ? Derrière le rideau de douche, nous sommes tous secrètement Beyoncé. Il s'installa sur son lit pour se déshabiller, entreprenant sa torsion habituelle pour retirer ses vêtements pleins de sueur. Finalement, il se rassit sur son fauteuil, sortit une serviette dans son placard et la plaça sur ses genoux.

Juste au cas où.

Je ne voudrais pas me donner en spectacle…

Et après tout, qui voudrait contempler sa verge dans son état actuel ?

L'eau s'arrêta de couler, et Jamie se dirigea vers la salle de bain, juste à temps pour voir Stephen en sortir, une serviette enroulée autour des hanches, révélant les poils sur son ventre qui disparaissaient sous sa serviette. Sa peau ruisselait encore des gouttes qui coulaient dessus.

Oh mon Dieu…

La réalité surpassait tout ce qu'il avait pu imaginer. Stephen était vraiment torride. Ce dernier lui sourit.

— Heureux maintenant ? Je n'ai même pas pris le temps de m'essuyer. La salle de bain est toute à toi.

Après quoi, il entra dans sa chambre et ferma la

porte. Jamie pénétra dans la salle de bain et ferma également derrière lui. Il s'installa dans la douche en mode pilote automatique, ses pensées toujours orientées sur la vision de Stephen dans toute sa gloire, à moitié nu. Le torse de Stephen était aussi poilu que son ventre, et Jamie adorait les poils. Son site porno préféré comportait énormément de mecs poilus, et il avait souvent rêvé de pouvoir passer les doigts à travers la toison d'un homme, pour pouvoir tirer doucement dessus, ou y frotter son visage. Il avait désespérément envie de savoir ce que cela ferait.

Jamie baissa les yeux sur son sexe pendant qu'il se lavait.

— Eh bien, murmura-t-il, si certains nerfs étaient toujours attachés, tu serais aux garde-à-vous en cet instant.

Qui aurait cru qu'il avait un si magnifique spécimen mâle qui dormait dans la pièce d'à côté ?

Il y avait eu des moments où il avait pensé que songer à son meilleur ami d'une manière si bestiale était mal. Puis il avait rejeté cette idée. Imaginer des choses n'avait jamais fait de mal à personne. Et ce que Stephen ne savait pas ne pouvait pas lui faire de mal.

Pourquoi les meilleurs sont-ils toujours hétéros ?

Stephen avait tout : il était intelligent, beau, attentionné… et terriblement sexy.

Arrête ça. Prends ta douche. C'est l'heure de la fête, tu te souviens ?

Avec un soupir, il s'attela à la tâche de se nettoyer.

Jamie verrouilla sa voiture et se dirigea vers le trottoir. De la musique s'entendait depuis la maison, accompagnée par le bruit de nombreuses discussions. Il se tourna vers Stephen en souriant.

— Il est encore temps de faire marche arrière. Nous pourrions rentrer chez nous et commander à manger.

Stephen ricana.

— Encore une fois ? Tu sais que tu ne ferais pas une telle chose à tes parents.

— Oui, tu as raison. Mais fais-moi une faveur, si je te dis que j'ai une migraine, c'est ton signal pour me sortir de là, d'accord ?

Ça ne lui ressemblait pas de se sentir comme ça, mais la perspective d'une maison pleine de membres de sa famille et d'amis bien intentionnés le terrifiait. Tous ces gens lui témoigneraient bien plus de sympathie qu'il ne pouvait en supporter. Stephen pressa son épaule.

— J'ai compris.

Ensemble, ils se dirigèrent vers la porte d'entrée, qui s'ouvrit à mesure qu'ils s'approchaient. Sa mère sautilla presque sur place en voyant Stephen.

— Oh mon Dieu, regarde-toi.

Elle ouvrit grand les bras, et Stephen fut pris dans une étreinte qu'il ne put éviter, tout en tenant ses fleurs soigneusement. Lorsqu'elle le relâcha, elle souriait encore.

— Je vais me faire un torticolis en essayant de te regarder. Oh, ces fleurs sont magnifiques. Merci.

— C'est un plaisir de vous revoir, Madame Lithgow.

Sa mère agita la main.

— Maureen. Tu es assez vieux pour m'appeler par mon prénom. Entre.

— Est-ce que cela m'inclut aussi ? se moqua Jamie.

Sa mère leva les yeux au ciel.

— Idiot. Viens ici.

En riant, il les suivit dans la maison. Sa mère alla mettre les fleurs dans de l'eau. Les conversations et la musique gagnèrent en intensité à mesure qu'il s'approchait du salon. Jamie s'arrêta sur le seuil, prit une grande inspiration, puis avança dans la pièce. Son père se tenait près de la porte. Il le salua avant de serrer vigoureusement la main de Stephen.

— C'est bon de te voir, mon garçon.

— Vous aussi, monsieur.

Stephen fut alors englouti dans un câlin exubérant de la part de Liz. Il lui fit un sourire rayonnant.

— Hé, regarde-toi. De toute évidence, ta marraine la fée t'a rendu visite, plaisanta-t-il.

Liz le frappa au bras.

— Méchant.

— Lorsque tu auras fini d'agresser notre invité, pourquoi ne prendrais-tu pas un verre pour Stephen ? suggéra leur père. Oh, et un pour Jamie.

Jamie leva à nouveau les yeux au ciel.

— Je comprends tout maintenant. C'est Stephen

que vous vouliez voir ce soir. Je n'étais que le chauffeur.

Son père gloussa.

— Va te chercher un verre et saluer tous ces gens qui meurent d'envie de te rencontrer.

Jamie lui jeta un faux regard noir.

— Oh, je comprends. La corruption ?

Il jeta un rapide coup d'œil autour de lui.

— Ça ne va pas marcher, papa.

Il n'y avait aucun moyen qu'il puisse se déplacer aisément dans cette pièce, pas sans rouler sur les orteils de quelqu'un. Son père parvint apparemment à la même conclusion.

— Il y a moins de monde dans la salle à manger. Pourquoi ne pas aller là-bas pour que les invités puissent venir te voir ?

Jamie carra les épaules.

— Oh, donc je suis le roi et eux viendront solliciter audience ? Cool.

Son père ricana.

— Je te fais confiance pour voir les choses ainsi. Eh bien, par ici, votre majesté.

Il sortit du salon et se dirigea vers la salle à manger. Les portes communicantes entre les deux pièces étaient déjà ouvertes, mais son père avait raison… il y avait moins de gens à l'intérieur. Jamie se dirigea vers un coin et recula pour s'y placer.

— C'est très bien, dit-il avec un sourire.

En réalité, c'était plus que bien, d'être caché ainsi. Puis sa mère s'avança vers lui, sa tante Déborah juste derrière elle, et Jamie se força à afficher un sourire.

— Hé là. Je ne t'ai pas vu depuis des années.

Le regard de sa tante Déborah se porta jusqu'à son fauteuil, avant qu'elle secoue la tête.

— Comment vas-tu ? s'enquit-elle, sa voix débordant de sympathie.

— Tout va bien ! répondit Jamie avec enthousiasme. J'ai terminé mon entraînement pour l'équipe paralympique de natation. Ça me maintient en forme.

Il essaya de garder son sérieux. Sa tante cligna des yeux à plusieurs reprises.

— C'est la petite blague habituelle de Jamie, intervint sa mère avec un sourire, avant de lui jeter un regard d'avertissement.

— Eh bien, si ça avait été le cas, j'imagine que vous en auriez parlé. Cependant, il a l'air d'aller bien.

Jamie mourait d'envie de rétorquer qu'il se trouvait juste ici.

— Jamie est merveilleux, intervint Stephen en se joignant à eux.

Il sourit rapidement à son meilleur ami.

— Je parie que tu fais honte à de nombreux hommes à la salle de sport.

Il jeta un regard reconnaissant à Stephen alors que ce dernier lui tendait un verre.

— J'essaie.

Stephen salua la tante Déborah avec un sourire poli.

— Bonjour. Je suis Stephen, le colocataire de Jamie, et il était autrefois mon meilleur ami.

Sa tante hocha la tête.

— Je pense que je me souviens de toi. Ce n'est pas toi qui as déménagé sur la côte ouest ?

— Oui, c'était moi.

Le regard de Stephen étincelait.

— Mais maintenant, je suis de retour.

— Oui, pour me causer des ennuis, ajouta Jamie.

Tante Déborah échangea encore quelques banalités avant de s'éloigner. Sa mère croisa son regard.

— Si je fais venir plus de gens vers toi, tu seras gentil ?

— Je serai moi-même, répondit simplement Jamie.

Sa mère soupira.

— C'est bien ce qui me fait peur.

Elle tapota le bras de Stephen, puis les laissa seuls tous les deux. Jamie laissa échapper un soupir.

— Merci. Est-ce que tu aimerais être mon garde du corps pour le restant de la soirée ?

— Bien sûr, mais dans ce cas, nous allons avoir besoin de fournitures. Et j'ai aperçu un plat de bâtonnets de mozzarella, avec une sauce à la canneberge, qui portait ton nom. Il y a aussi des nachos.

Jamie posa une main sur son cœur.

— Mon héros.

Stephen se contenta de rire et il se dirigea vers la cuisine. En quelques secondes, Liz et Phil rejoignirent Jamie. Il serra la main de son beau-frère.

— C'est bon de te revoir, lui dit-il en souriant. Comment survis-tu à ta première réunion de famille ?

Phil gémit.

— On m'a déjà demandé au moins six fois quand

ta sœur et moi allions annoncer nos fiançailles.

Liz ricana.

— Je leur ai répondu que nous comptions vivre dans le péché.

Jamie afficha un grand sourire.

— Ça, c'est ma sœur.

Elle s'agenouilla à côté de son fauteuil et se pencha vers lui.

— Oh mon Dieu. Ne trouves-tu pas que Stephen s'est merveilleusement arrangé ?

Elle s'éventa de sa main. Phil lui jeta un faux coup d'œil courroucé.

— Hé. Je ne suis pas certain d'apprécier que ma petite amie mate un autre homme.

Elle gloussa.

— Ce n'est pas un autre homme… c'est Stephen. Jamie et lui ont grandi ensemble.

Puis elle frappa son petit ami à la jambe.

— Et je peux regarder, d'accord ? Si tu as le droit de baver sur Megan Fox chaque fois qu'elle passe à la télévision, je peux bien dire que Stephen est vraiment beau garçon.

Elle croisa le regard de Jamie avant de se pencher davantage.

— Est-ce qu'il est pris ?

Jamie haussa les épaules.

— Je n'en ai pas la moindre idée. Il ne parle pas beaucoup de la Californie.

Il avala une gorgée de son verre.

— Nous ne parlons pas vraiment de nos vies personnelles.

— Je peux comprendre pourquoi tu n'as pas envie de parler de ta vie amoureuse, commenta sa sœur.

— Ah. Quelle vie amoureuse ?

— Mais je suis surprise que tu n'aies pas demandé à Stephen ce qu'il en était.

Ses yeux brillèrent.

— Tu veux que je le fasse ? Je peux être subtile, contrairement à toi.

— Hé, s'exclama-t-il avec indignation. Je sais être subtil quand je veux.

Liz renifla.

— Oui, bien sûr. Comme cette fois, où tu as demandé à Madame Bercowitz si elle avait besoin d'un rasoir.

— J'avais douze ans, protesta Jamie. Je venais de demander à papa comment on se rasait. Et elle avait une moustache.

Phil éclata de rire, alors que Stephen avançait vers eux.

— Qu'est-ce que j'ai manqué ?

— Jamie faisant son Jamie, évidemment, répondit sa sœur en riant.

Elle s'avança pour se saisir d'un des bâtonnets de mozzarella qu'il avait apportés, mais Stephen les leva hors de sa portée.

— Oh non, ce n'est pas pour toi. Va te chercher les tiens. Ceux-là sont pour Jamie et moi.

Jamie lui adressa un air suffisant.

— Tu vois ? Il est loyal.

Stephen ricana.

— Non, il se trouve que je partage une maison

avec toi. Je ne suis pas stupide. J'assure mes arrières.

Il désigna du doigt les invités.

— Maintenant, va te mêler à la foule, comme le ferait une bonne petite hôtesse.

Liz plissa les yeux.

— Mon Dieu, c'est comme si j'étais à nouveau une enfant. Mon autre grand frère est de retour.

— La vie n'est-elle pas merveilleuse ? lui demanda Jamie en souriant.

Il rit de bon cœur pendant que sa sœur entraînait Phil loin d'eux. Stephen lui tendit alors l'assiette de snacks, puis installa une chaise à côté de son fauteuil roulant.

— Je te remercie, au fait.

— De te nourrir ?

— Non, d'être intervenu lorsque tante Déborah était ici.

— Ce n'est rien. J'ai pensé que tu avais besoin de soutien. Un soutien poli.

Jamie soupira.

— Es-tu en train d'insinuer que je ne sais pas être poli ?

— Insinuer ? renifla Stephen. Bon sang, je l'affirme. Si je t'avais laissé dire ce que tu avais en tête, tu l'aurais éviscéré en un battement de cœur. Avec des mots, bien entendu.

Il contempla le salon.

— Liz n'a pas beaucoup changé.

Jamie sourit.

— Tu la vois toujours comme une sœur ?

Il s'esclaffa.

— Oh waouh. J'ai dit ça ? Marie et elle s'entendaient toujours si bien.

Jamie aperçut un visage vaguement familier se diriger vers eux.

— Oh oh. En approche.

Il se redressa sur son fauteuil tandis qu'un homme d'âge moyen s'approchait en souriant.

— Tu ne te souviens probablement pas de moi, commenta-t-il en parlant lentement et prudemment. Je m'appelle Wayne Ericsson. Je travaille avec ton père. La dernière fois que je t'ai vu, c'était à une fête, il y a treize ou quatorze ans. Bien sûr, c'était avant.

Il s'éclaircit la gorge. Jamie n'eut pas besoin de lui demander ce qu'il voulait dire par là.

— Je me souviens de vous, monsieur. Vous sortiez votre dentier pour essayer d'effrayer ma sœur.

Ce qu'à l'époque, il trouvait dégoûtant.

Monsieur Ericsson cligna des yeux.

— Oh. C'est drôle que tu te souviennes de ça.

Il jeta un coup d'œil vers Stephen.

— Je me souviens de toi aussi. David m'a dit que vous aviez emménagé ensemble, avec Jamie. Je trouve cela admirable.

Stephen l'arrêta.

— Je ne comprends pas.

Jamie comprenait, lui. Il s'agrippa aux accoudoirs de son fauteuil.

— Je veux dire… la manière dont vous avez fait une chose si désintéressée. Je suis certain que Jamie apprécie que vous soyez là pour l'aider. Vous devez être un tel réconfort pour lui.

L'intonation lente et mesurée de Monsieur Ericsson avait disparu. Apparemment, Stephen, lui, était capable de comprendre une diction à vitesse normale. Avant que Jamie puisse prononcer le moindre mot, Stephen se redressa et le domina de toute sa hauteur.

— Je pense que vous prenez les choses dans le mauvais sens, dit-il. Jamie a eu la gentillesse de m'aider lorsque j'en avais besoin. Et il est plus que capable de prendre soin de lui-même. Il le fait sans l'aide de personne depuis plusieurs années maintenant.

Le visage de Monsieur Ericsson rougit.

— Bien sûr.

Stephen fronça les sourcils.

— Vous pouvez lui parler directement, vous savez ? Je veux dire, il est assis juste ici.

Monsieur Ericsson déglutit.

— C'était bon de vous revoir après toutes ces années.

Et sur ses paroles, il s'en alla.

— Je suis désolé, murmura Stephen. Je te dis d'être poli et je fais tout le contraire.

Jamie relâcha son fauteuil, tendit la main vers celle de Stephen et la serra dans la sienne.

— Tout va bien, dit-il à voix basse.

Stephen l'observa avec étonnement.

— Comment ça, tout va bien ? Tout d'abord, il te parle comme si tu étais un demeuré. Ensuite, il agit comme si tu n'étais même pas là.

— J'ai l'habitude que les gens me traitent comme si je faisais partie de la tapisserie, avoua Jamie.

Il tapota son fauteuil.

— C'est tout ce que les gens sont capables de voir, il y a énormément de préjugés à ce sujet.

— Dans ce cas, je resterai à côté de toi ce soir.

Le regard de Stephen s'enflamma.

— Et si quelqu'un d'autre tente la même chose, il aura affaire à moi.

Jamie sourit.

— On dirait que j'ai choisi le parfait garde du corps.

Il leva le plateau de ses genoux.

— Tu veux un bâtonnet de mozzarella ?

Stephen jeta un coup d'œil, puis ricana.

— Ta bonne humeur reprend bien vite le dessus, hein ?

— Oui. Les fêtes où on m'abreuve de pitié sont un gaspillage d'énergie. Je préfère éblouir les gens avec mon intelligence et mon esprit. Les laisser voir qu'il y a un esprit dans ce corps, et pas seulement un handicap.

Le visage de Stephen se crispa, et Jamie secoua la tête.

— Non, ce n'est pas ainsi que je me vois.

Stephen lui sourit enfin.

— J'aime beaucoup ton intelligence et ton esprit.

Il se pencha ensuite vers lui.

— Où est la salle de bain ? Je dois y faire un tour.

Jamie ricana.

— Dans le couloir, à côté de la cuisine. Certains d'entre nous ont un avantage à ce sujet.

— Lequel ?

Jamie désigna sa cuisse.

— J'ai un sac collé là. Donc je peux y aller quand je veux.

Stephen rit de bon cœur.

— Espèce de bâtard suffisant.

Il se redressa.

— Je serai de retour dans une seconde.

Jamie le regarda s'en aller, bien conscient du corps magnifique qui se cachait sous son jean moulant et sa chemise noire. Pourquoi devait-il être si… parfait ?

De l'autre côté de la pièce, Liz lui jeta un sourire entendu, avant de s'avancer vers lui. Elle se pencha vers lui et murmura contre son oreille :

— Avoue-le. Il est sexy.

Maudite soit-elle.

— D'accord. Je ne suis pas aveugle. Il est sexy.

Puis il croisa son regard.

— Et tu ne devrais même pas penser à de telles choses, Mademoiselle-j'ai-un-petit-ami.

Elle se redressa et lui sourit.

— Comme tu l'as dit, je ne suis pas aveugle.

Elle s'assit sur la chaise que Stephen avait laissée vacante.

— Tu pourrais toujours te servir de lui comme appât.

Il lui jeta un coup d'œil.

— Je te demande pardon ?

— Tu sais, l'emmener avec toi dans un bar gay. Beaucoup de gens accourraient à votre table.

— Oui, pour flirter avec lui. De plus, qu'est-ce qui te fait penser qu'il serait prêt à se faire reluquer par toute une bande de gays en chaleur ?

— Ce n'était qu'une suggestion.

Les yeux de sa sœur brillaient.

— Et tu te souviens de ce que disait papa ? Ceux qui ne demandent pas ne comprennent pas.

Elle lui embrassa la joue.

— Penses-y.

Elle se leva.

— Et maintenant, je vais aller secourir mon petit ami. Je suis certaine qu'il a déjà tout appris sur les trains miniatures de l'oncle Desmond.

Avec un sourire, elle l'abandonna. Jamie soupira. Il considérait que c'était peut-être mieux pour lui de lui demander de poser la question à Stephen. Il avait le sentiment que ce serait beaucoup trop dur à faire pour lui.

Chapitre 11

Stephen sortit les légumes rôtis du four et y ajouta les morceaux de porc sauté avec de l'ail, du paprika et de la sauce soja. Il espérait que tout se mariait bien. C'était une nouvelle recette, et Jamie ne cessait de lui faire des remarques en disant « où sont les antiacides ? ».

L'enfoiré !

Il mélangea les ingrédients, puis dressa deux assiettes.

— À table ! cria-t-il, sachant qu'il devrait aller frapper à la porte de Jamie si ce dernier était pris dans son travail.

Aucune réponse.

Il soupira et remit les assiettes dans le four. Il se rendit à la porte de Jamie et frappa.

— Jamie ? Dîner.

Aucune réponse.

Stephen ouvrit et sourit. Jamie dormait, son ordinateur portable ouvert à côté de lui sur la couette. Stephen s'avança et se tint près du lit, à le regarder. Il avait l'air si jeune quand il dormait. Non pas qu'il ait l'air vieux lorsqu'il était éveillé, mais il n'y avait plus de rides sur son visage. Des rides qui, Stephen en était certain, avaient été placées là par ses expériences de vie. Il combattit l'envie de caresser la joue de Jamie, pas certain de la raison pour laquelle il voulait le faire. C'était comme si le visage de son ami invitait au toucher. Au lieu de cela, il pressa sa main.

— Hé. La Belle au bois dormant.

Jamie ouvrit les yeux.

— Hé.

Il cligna des paupières. Et une fois encore.

— Est-ce que je dormais ?

Stephen désigna son ordinateur portable du doigt.

— Je pense que tu en as suffisamment fait pour aujourd'hui. Le dîner est prêt.

Jamie sourit.

— Super. Laisse-moi juste aller me passer un peu d'eau sur le visage avant de manger, d'accord ? Ça va me réveiller.

— Bien sûr.

Stephen le laissa faire et se dirigea vers la cuisine pour mettre la table. Au moment où il avait sorti les assiettes, Jamie apparut et s'installa à table avant de chercher sa fourchette.

— Ça sent très bon.

Stephen ricana.

— C'est mieux que de demander où se trouvent les antiacides.

Il s'assied à son tour et se choisit un morceau de porc.

— Hé, mais c'est bon.

— N'aie pas l'air aussi surpris. Tu es un bon

cuisinier.

Stephen l'observa avec incrédulité.

— Waouh.

— Qu'est-ce que ça veut dire ?

Il sourit.

— Je vis ici depuis un mois et c'est la première fois que tu ne te moques pas de ma cuisine.

Jamie devint très calme.

— Ça fait de moi un connard.

— Les plaisanteries ne me dérangent pas, protesta Stephen. Je me dis que si tu n'aimes pas quelque chose, tu me le diras.

— Ne pas se plaindre ou ne rien dire n'est pas la même chose que de faire un compliment. J'aurais dû dire quelque chose avant aujourd'hui.

Jamie reposa sa fourchette.

— Stephen, j'adore ta cuisine. Voilà. Je l'ai dit.

Stephen ricana.

— Sérieusement, mange.

Ils mangèrent en silence pendant un certain temps, mais l'ambiance fut confortable. Lorsqu'ils eurent terminé, Jamie poussa un soupir satisfait.

— C'était délicieux. Tu pourras en refaire.

Il jeta un coup d'œil vers le réfrigérateur.

— Et ce qu'il nous reste du vin blanc ?

— Une demi-bouteille. Pourquoi, tu en veux un verre ?

Jamie hocha la tête, et Stephen se leva pour aller chercher les verres et la bouteille.

— Il y a quelque chose que je voulais te demander

depuis un certain temps, mais je ne savais pas trop par où commencer.

Stephen marqua un temps d'arrêt, la porte du réfrigérateur toujours ouverte.

— Oh oh. C'est pour ça que tu as besoin d'alcool ? se moqua-t-il. Pour trouver du courage ?

Il n'avait jamais entendu Jamie si incertain avant.

— Tu peux me demander n'importe quoi. Bien sûr, je serai incapable de répondre à certaines questions.

— Quand tu as quitté la Californie…

Jamie s'arrêta. Stephen revint à la table avec le vin.

— Ne t'arrête pas maintenant. Tu as commencé.

Il leur en versa à tous les deux.

— As-tu laissé derrière toi une série de femmes au cœur brisé ?

Voilà où ils en étaient. Au sujet que Stephen évitait depuis qu'il avait emménagé.

— Pourquoi veux-tu le savoir ?

— Parce que nous ne parlons pas de ce genre de choses. Je voulais te le demander depuis longtemps, mais je n'ai pas eu le courage de le faire.

— Tu n'as pas eu le courage de le faire ?

Stephen avala une longue gorgée de vin, son pouls s'accélérant.

— Tu n'as pas répondu à ma question.

Il s'éclaircit la gorge.

— Je peux dire honnêtement que je n'ai jamais brisé le cœur d'une femme.

Les yeux de Jamie s'écarquillèrent.

— Alors l'une d'elles a brisé le tien ?

Son cœur battait à tout rompre, Stephen réalisa que le moment de vérité était arrivé.

— D'accord… voici une équation pour toi.

Jamie se mordit la lèvre.

— Sérieusement ? Tu vas me répondre par une équation ?

Stephen croisa son regard.

— Laisse-moi le dire à ma façon, ou je ne le ferai pas du tout.

Jamie mima l'acte de verrouiller ses lèvres. Il recommença alors à parler :

— Je n'ai jamais brisé le cœur d'une femme. Aucune femme ne m'a brisé le cœur. Pourtant, mon cœur a été brisé à plus d'une occasion. Par conséquent…

Il plongea ses yeux dans ceux de Jamie, les paumes moites.

— Allez, Jamie. Fais le calcul…

Ce dernier fronça les sourcils.

— D'accord, ça n'a pas de sens…

Ses yeux s'écarquillèrent.

— Oh. Oh !

Stephen avala une autre grande gorgée.

— Es-tu en train de me dire… ce que je pense que tu me dis ?

Il prit une grande inspiration.

— Si tu penses que je te dis que je suis gay, alors oui.

Il attendit les premières paroles de Jamie. Ce à quoi il ne s'attendait pas, c'était au rire de Jamie. Ça commença comme un rire, puis ça enfla, enfla pour devenir un fou rire enjoué qui continua encore et encore, jusqu'à ce que le visage de Jamie soit rouge et que des larmes scintillent dans ses yeux.

— Je ne pensais pas que c'était si drôle, maugréa Stephen après une minute ou deux, offensé.

— C'est parce que tu n'as pas encore entendu la chute, répliqua Jamie en s'essuyant les yeux.

— Oh ? Et quelle est-elle ?

Jamie brandit son verre, puis regarda Stephen dans les yeux.

— Moi aussi.

Il lui fallut une ou deux secondes pour comprendre ce qu'il voulait dire. Stephen ouvrit la bouche.

— Tu plaisantes.

Voilà qui était effrayant. Jamie secoua la tête.

— Mais… pourquoi n'as-tu rien dit avant ?

Jamie fronça les sourcils.

— Je pourrais te retourner la question.

Puisqu'il avait commencé…

— T'avouer que j'étais gay signifiait devoir t'en dire beaucoup plus, et je n'étais pas encore prêt pour ça, avoua Stephen. Je… je n'ai pas eu de chance en matière de relations amoureuses.

N'était-ce pas l'euphémisme de la décennie ?

Jamie laissa échapper un drôle de bruit avant de commencer à tousser. Il posa son verre et se couvrit la bouche avec un mouchoir. Stephen l'observa avec anxiété pendant un moment et fut soulagé lorsque sa quinte de toux passa. Jamie soupira lourdement.

— Et voilà encore la même chute. Nous avons davantage de choses en commun que je le pensais. Mais tu me surprends.

— Pourquoi ?

Jamie fit un geste qui l'engloba tout entier.

— Regarde-toi ! Même ma sœur te trouve sexy.

— Sexy ? OK.

Les paroles de Jamie le frappèrent alors.

— Liz pense ça ?

— Uh-huh. Elle a même suggéré que je t'emmène avec moi dans un club gay, comme une sorte d'aimant à mecs.

Il se mordit la lèvre.

— Je ne savais pas si tu serais à l'aise avec toute l'attention de nombreux hommes gays. Pour citer ma mère « imagine ça ».

L'ironie de la situation…

— Je pense que nous avons énormément de choses à nous dire.

Stephen réalisa qu'il était enfin prêt à parler, même s'il avait le ventre noué d'appréhension à cette perspective. Ses expériences passées le feraient passer pour un loser. Jamie hocha la tête.

— Et si nous prenions le vin et allions quelque part où je pourrais sortir de ce fauteuil, afin que nous puissions discuter calmement.

Cela voulait dire la chambre de Jamie. Stephen pouvait le faire.

Cinq minutes plus tard, Jamie s'assit sur son lit, soutenu par un tas d'oreillers, un verre de vin à la main.

— Qui passe en premier ?

— Moi.

Stephen voulait en finir avec l'humiliation. Il se mit à l'aise de son côté.

— Puis-je poser des questions ?

Il sourit.

— Bien sûr.

— Quand as-tu su ? Que tu étais gay, je veux dire.

Stephen leva son verre avant de répondre.

— À seize ans. Bon, il m'aura fallu deux ans pour faire mon coming out auprès de mes parents.

— Comment l'ont-ils pris ?

Les lèvres de Jamie tremblèrent.

— J'imagine très bien ta mère flipper.

Stephen dut admettre que Jamie connaissait vraiment ses parents.

— Ils n'ont pas acheté de drapeaux LGBTQI à accrocher aux fenêtres, c'est certain. Maman n'a pas exactement prononcé le mot « phase », mais je suis certain qu'elle y a pensé. Ils se sont améliorés avec le temps, je suis obligé de l'admettre.

— Et Marie ?

— Elle me soutient depuis toujours.

Jamie hocha la tête en souriant.

— C'est pour ça que j'adore ta sœur. Elle était déjà géniale à l'époque, et on dirait qu'elle l'est toujours.

— Qu'en est-il de tes parents ?

Il avait l'impression que les parents de Jamie s'étaient montrés beaucoup plus favorables.

— Hé, tu me connais. Je ne voulais pas simplement dire « je suis gay », alors j'ai pensé que je pouvais être un peu plus… créatif.

Stephen gémit.

— Qu'as-tu fait ?

— À dix-sept ans, j'ai « décoré » ma chambre. J'avais des affiches d'Orlando Bloom, de Wentworth Miller, de Jesse Metcalfe, de Jensen Ackles, d'Ashton Kutcher…

— Attends une minute.

Stephen le fixa.

— Tu penses qu'Ashton Kutcher est sexy ?

— Hé !

Jamie croisa son regard.

— D'accord, il n'est peut-être pas aussi beau que Chris Evans ou Jason Momoa, mais il est sacrément mignon. Et c'est mon histoire, alors tais-toi.

Il avala une gorgée avant de poursuivre.

— J'ai recouvert mes murs de mes béguins de jeunesse. Ensuite, j'ai mis la main sur un magazine gay… rien de trop osé… et j'ai découpé certains des hommes les plus sexy, puis je les ai tous collés sur une immense feuille de papier, et je l'ai placardée au mur. Ma touche finale ? J'ai dessiné beaucoup de cœurs rouges et je les ai découpés, puis je les ai collés sur mes préférés. Ensuite, je me suis rendu au centre commercial. Je ne voulais pas être là quand maman découvrirait ma décoration. Je me suis dit que ce serait suffisant pour qu'elle comprenne.

— Que s'est-il passé ?

Stephen aurait adoré voir cela.

— Lorsque je suis rentré à la maison, ma mère

était dans la cuisine. Elle m'a regardé, puis m'a demandé comment j'avais collé toutes les affiches sur les murs. Elle espérait que cela ne laisserait pas de traces.

— Et c'était tout ?

Jamie acquiesça.

— Quelle déception ! Puis, en fin de semaine, papa m'a tendu un paquet. Il contenait un exemplaire du livre « les joies du sexe gay » ainsi qu'une boîte de préservatifs.

Il ricana.

— Je ne m'attendais pas du tout à ça. Il a dit que sachant quel point j'aimais comprendre les choses, il pensait que je pourrais tirer parti d'un manuel d'instructions, et que c'était ce qu'il avait trouvé de mieux. Quant aux préservatifs, il a dit « la sécurité avant tout ».

— Putain, j'aime ton père.

— Oui.

Les yeux bruns de Jamie étaient emplis de chaleur.

— J'ai vraiment eu de la chance avec ces deux-là. Bien sûr, Liz a adoré me taquiner. Après mon coming out, chaque fois que nous sortions quelque part, elle désignait les hommes et disait : « il est mignon ? Tu sortirais avec lui ? C'est ton type ? ».

Stephen rit de bon cœur.

— Ça lui ressemble bien. Est-ce qu'elle a vraiment suggéré de m'emmener dans un bar gay ?

— Oh oui. Elle a dit que tu attirerais les hommes à ma table.

Il sourit.

— Comme des abeilles avec un pot de miel.

— Crois-moi, tu ne voudrais pas du genre d'hommes que j'attire.

Jamie pencha la tête sur le côté.

— Tu veux bien m'expliquer cette remarque ?

Stephen vida son verre et toussota pendant que le vin descendait. Il posa son verre avec un soupir.

— Tous les hommes avec qui je suis sorti se sont révélés être des connards.

Jamie écarquilla les yeux.

— Ils ne peuvent pas tous avoir été de mauvaises personnes.

— Si, chacun d'entre eux. Et nous parlons là d'humiliations, de maniaques du contrôle…

— Est-ce que l'un d'eux… t'a fait du mal ?

Le visage de Jamie se crispa. Stephen hocha la tête.

— Je ne vais pas en parler, d'accord ? C'est suffisant que tu saches que c'est arrivé. Ce qui a empiré la situation, c'était ma difficulté à me libérer de telles relations.

Jamie laissa échapper un soupir.

— Oh mon Dieu ! Maintenant, c'est logique.

— De quoi tu parles ?

— Toutes ces choses que tu as dites lorsque j'ai évoqué l'ex violent de Liz. J'ai trouvé à l'époque tes commentaires très perspicaces. Je ne savais pas que tu parlais par expérience.

Stephen versa ce qui restait du vin dans son verre et en avala une grande gorgée.

— Maintenant, tu le sais. Donc, tu peux comprendre que je suis un sinistre loser.

Jamie lui gifla le bras.

— Ce n'est pas une façon de parler de soi.

— Pourquoi pas ? C'est la vérité.

— Ça non plus, ce n'est pas une bonne façon de parler de soi.

Stephen fronça les sourcils.

— Je te demande pardon ?

Jamie soupira.

— Écoute, nous devons être honnêtes avec nous-mêmes. Et je ne parle pas d'avoir une conversation à haute voix. On se dit des choses tout le temps. Et ça compte. Tu crois que je serais là où j'en suis si j'avais continué à me dire que la vie ne valait pas la peine d'être vécue ? Parce que c'est exactement ce que j'ai ressenti après mon accident. La première année a été… brutale. Je ne voulais plus vivre, mais en même temps, je ne voulais pas mourir. J'étais simplement… engourdi. Lorsque je me réveillais dans ce lit d'hôpital tous les matins, je me disais : « Seigneur, ce n'était pas un cauchemar. C'est bien réel. ». Mais je ne pouvais pas continuer à ressentir ça, alors j'ai changé ma façon de me parler à moi-même. Je me suis dit que j'étais un survivant. Que j'étais plus que mes jambes. Que si mon avenir se trouvait dans ce putain de fauteuil, alors je devais l'accepter et devenir le meilleur putain de Jamie Lithgow que je pouvais être.

— Mais je ne suis pas toi, s'écria Stephen.

Jamie le regarda droit dans les yeux.

— Non, c'est vrai. Tu es Stephen Taylor, mon meilleur ami, un grand comptable… parce que quelqu'un doit l'être, n'est-ce pas ?

Il ouvrit grand les bras.

— Viens ici.

Stephen cligna des yeux.

— Allons-nous nous faire un câlin ?

Les yeux de Jamie étincelaient.

— Tu peux parier là-dessus. Parce que si je ne peux pas étreindre mon meilleur ami quand il en a besoin, alors quel genre d'ami ça fait de moi ? Maintenant, ramène tes fesses ici et laisse-moi te faire un câlin.

Stephen se déplaça sur le lit, et Jamie enroula son bras autour de lui. Stephen posa sa tête contre son torse et écouta les battements rassurants de son cœur.

— Ça va aller, lui dit doucement Jamie. Il faut regarder le bon côté plus souvent.

— Parce qu'il y a un côté positif ?

Le rire de Jamie se répercuta sur lui.

— Bien sûr que oui. Ton meilleur ami s'avère être gay. La vie est belle, non ?

Stephen sourit contre le torse de Jamie.

— Tu sais, il y avait des signes, mais je n'y ai pas prêté attention.

— Quels signes ?

— Oh, des choses que tu as dites. Comme la façon dont ton voisin rend cet endroit plus beau. J'aurais dû assembler les pièces du puzzle.

Il tordit le cou pour pouvoir regarder Jamie.

— Mais tu n'as pas fini ton histoire. Comment se fait-il que tu n'aies pas non plus eu de chance en amour ?

Jamie ne dit pas un mot et désigna son fauteuil

roulant. Le cœur de Stephen se brisa pour son ami.

— Alors, c'étaient des hommes aveugles et stupides, pour ne pas avoir vu à quel point tu es incroyable.

Il baissa la tête et apprécia la sensation du bras fort de Jamie autour de lui. Cela faisait tellement longtemps que quelqu'un ne l'avait pas tenu comme ça, et la meilleure partie dans tout ça était que Stephen savait qu'il était en sécurité.

Jamie ne lui ferait jamais de mal.

— Tu veux regarder un film ?

Stephen sourit.

— Je pense que ce serait mieux de regarder une comédie. Je crois que j'ai besoin de rire.

À sa grande surprise, Jamie embrassa le sommet de son crâne. Stephen se rassit et le regarda.

— C'était pour quoi ?

Les yeux de Jamie brillaient toujours de chaleur.

— Je pensais que tu en avais besoin.

Il pencha la tête sur le côté.

— Est-ce que j'avais tort ?

— Non, tu avais raison, admit Stephen.

C'était la meilleure façon de mettre un terme à cette conversation.

Chapitre 12

Jamie éteignit la télévision vers vingt-trois heures, lorsque de légers ronflements lui parvinrent de l'autre côté du lit. Il roula sur le côté et contempla un Stephen endormi.

Un Stephen qui était gay.

Eh bien… Peut-être qu'il y a un Dieu après tout.

Il ne pouvait nier à quel point cela lui avait fait mal d'entendre parler des relations précédentes de Stephen. L'idée que quelqu'un ait pu le blesser… il se rappela alors qu'il savait exactement ce que Stephen avait ressenti à propos du connard ivre qui avait pris le volant de sa voiture. Jamie voulait mettre la main sur les enfoirés qui avaient abusé de quelqu'un qu'ils prétendaient aimer. Sauf qu'il ne savait pas du tout si Stephen avait été amoureux de ces hommes, ou vice versa.

Est-ce que je cherchais l'amour quand je me suis rendu dans les bars gays, ou un simple rencard ?

S'il était brutalement honnête avec lui-même, en remontant quelques années en arrière, un coup d'un soir aurait été suffisant. Non pas qu'il se soit même approché d'en obtenir un.

Et maintenant ?

Maintenant, il prendrait tout ce qu'il pouvait obtenir. Bien que si son prince charmant se présentait entretemps… excepté que la partie « prendre ce qu'il pouvait obtenir » était un mensonge. Il s'accrochait à cette idée, purement et simplement. Parce qu'après tous ces premiers rendez-vous qui n'avaient jamais été plus loin, il méritait sacrément quelque chose de spécial.

Stephen remua dans son sommeil, et Jamie abandonna ses pensées pour fixer son beau visage. Il suffirait d'une simple secousse pour le réveiller et l'envoyer dans son propre lit. Jamie sourit.

Je pourrais le réveiller d'un baiser…

Parce que ses douces lèvres lui hurlaient leur besoin d'être embrassées.

Qui a dit qu'il voulait que je l'embrasse ?

Avec un soupir, il poussa doucement Stephen. Ses yeux bleu-vert papillonnèrent avant que Stephen les frotte.

— Le film est fini ?

Jamie gloussa tranquillement.

— Non. C'est simplement devenu trop difficile de l'entendre à cause des effets sonores ajoutés, c'est tout.

— Oh, merde. Je suis désolé.

— Il est tard de toute manière, et tu travailles demain. Va te mettre à l'aise dans ton lit.

Stephen sourit.

— Je ne sais pas. Le tien est très confortable.

Il se leva.

— Dors bien.

— Toi aussi.

Après coup, Jamie ajouta :

— Fais de beaux rêves.

Stephen quitta la pièce et referma la porte derrière lui. Jamie roula sur le dos et fixa le plafond.

Même s'il est gay, ça ne change rien, n'est-ce pas ?

Sauf pour le fait de se sentir un peu moins coupable de vouloir l'apercevoir entièrement nu. Sur la table de nuit, son téléphone sonna. Il se pencha pour l'attraper.

Tu es réveillé ? On peut parler ?

Jamie sourit et cliqua sur « appeler ».

— Depuis quand m'envoies-tu un message aussi tard ?

Liz se mit à rire.

— J'étais à un rencard. Je viens juste de rentrer.

— Donc tu t'es dit que tu allais me réveiller ? Comme c'est gentil. Au fait, si tu m'appelles pour partager des détails intimes de ta vie amoureuse, la prochaine fois que je te vois ? Je t'écraserai avec mon fauteuil.

— J'appelle pour savoir si tu lui as déjà posé la question.

Jamie fronça les sourcils.

— J'ai l'impression de regarder un film où ils ont sauté plusieurs pages du scénario. Demandé quoi ?

— Idiot. Est-ce que tu as déjà demandé à Stephen s'il voulait bien venir avec toi comme *appât à rencarts* ?

Jamie renifla.

— Est-ce que tu viens d'inventer ça ?

— Oui. Maintenant, réponds à la question.

Il soupira.

— Non, je ne lui ai pas demandé, parce qu'il s'est passé quelque chose d'important avant que je puisse le faire.

— Comme quoi ?

— Eh bien… pour commencer, j'ai découvert qu'il est gay.

Lorsque le silence se fit, Jamie vérifia son portable, mais ils étaient toujours en ligne.

— Liz ? Tu es là ?

— Oh mon Dieu, c'est merveilleux !

— Qu'est-ce qui t'arrive ?

Il lui était incapable de manquer son exaltation.

— Toi et Stephen. Vous seriez parfaits l'un pour l'autre.

Béni soit son petit cœur naïf.

— Attends, tu penses que nous devrions sortir ensemble parce que nous sommes tous les deux gays ? Ça ne marche pas comme ça, sœurette.

Bien que Dieu lui en soit témoin, il adorerait ça.

— Mais c'est possible, ajouta-t-elle de façon décisive. Es-tu en train de me dire que tu n'es pas attiré par lui ? Parce que si tu essaies d'en arriver là, je dois te dire que ce sont des conneries. J'ai vu comment tu la regardais à la fête.

— Et comment c'était exactement ?

Liz renifla.

— Je suis étonnée que personne n'ait trébuché sur ta langue qui traînait par terre, vu la façon dont tu bavais sur lui.

— C'est parce qu'il est magnifique. Et, oui, je le trouvais magnifique, même quand je pensais qu'il était hétéro.

— Tu vois ?

Seigneur, elle donnait l'impression d'être sur le point d'hyperventiler.

— Liz. Calme-toi une seconde et écoute-moi.

Jamie détestait devoir éclater sa bulle, mais il était temps de reprendre une dose de réalité.

— Stephen est mon meilleur ami, d'accord ? Et c'est exactement de cette manière qu'il me voit.

— En es-tu certain ?

D'accord, elle marquait un point.

— Non, bien sûr que non. Aussi talentueux que je sois, lire dans les pensées ne fait pas partie de mes dons.

— Alors, comment sais-tu ce qu'il ressent pour toi ? Tout ce que tu sais, c'est qu'il pourrait être allongé dans son lit en cet instant, à se branler en pensant à toi.

Jamie en perdit le souffle.

— Et moi qui pensais que tu étais une grande dame.

Liz gloussa.

— Connard. Maintenant, dis-moi ce que tu comptes faire par la suite.

De l'autre côté de la porte de sa chambre, il entendit le bruit de la chasse d'eau.

— Maintenant ? Je vais aller aux toilettes, vu que Stephen a fini.

— Tu sais que j'ai raison, se plaignit-elle.

Jamie soupira.

— D'accord, je vais être honnête. J'aimerais beaucoup que quelque chose se développe entre Stephen et moi. Mais je ne vais pas insister pour que les choses se fassent. Tu connais le dicton, il faut être deux pour danser le tango.

— Donc, tu ne feras rien à moins qu'il fasse le premier pas ? Et s'il n'en fait rien ? Et si... Dieu nous en préserve... Il attend que tu fasses exactement la même chose ?

— Et si tu me laissais faire mes ablutions pour que je puisse dormir un peu ? Parce qu'il ne me regardera pas deux fois, si j'ai des cernes sous les yeux.

Il y eut une pause.

— De quoi est-ce que tu as peur ?

Jamie déglutit.

— Et si... s'il était comme tous les autres ?

Il ne pensait pas pouvoir supporter de découvrir que Stephen s'avérerait être aussi aveugle que tous les autres qui avaient un jour intéressé Jamie.

— Il pourrait ne pas l'être.

Mon Dieu, il adorait son optimisme. Il rivalisait parfois avec le sien.

— Pourquoi pas ? Il est humain, comme tous les autres hommes qui m'intéressaient.

— Oui, mais il te connaît mieux que n'importe lequel d'entre eux.

— Il me connaissait avant l'accident. J'ai changé.

D'ailleurs, lui aussi.

Mon Dieu, ils pouvaient continuer d'en parler jusqu'à ce que les vaches reviennent dans leur pâture, ça n'en rendrait pas pour autant les choses plus faciles.

— Va te coucher, sœurette.

— D'accord. Je t'aime.

Cela le fit sourire.

— Je t'aime aussi. Nous en reparlerons en fin de semaine, compris ?

— Oui.

Une autre pause.

— Rêve bien de Stephen.

Il ricana.

— Tu n'as pas pu résister, hein ?

Et avec ça, il raccrocha. Jamie se transféra dans son fauteuil roulant et se dirigea vers la salle de bain, l'esprit sens dessus dessous.

Peu importe ce que je veux. Il doit le vouloir, lui aussi.

Et à moins que Stephen soit un homme exceptionnel, son fauteuil roulant serait un obstacle insurmontable.

Encore une fois.

Stephen se rendit dans la petite cuisine qu'il y avait dans leur bureau et se versa une tasse de café. Sa pause déjeuner était pratiquement terminée. Il salua les trois comptables qui étaient là, à bavarder.

Stephen aimait l'atmosphère qu'il y avait dans cette entreprise. Elle n'était pas très grande, selon les normes de n'importe qui, mais il y résidait un sentiment de famille. De nouvelles affaires continuaient à arriver, et si les choses se poursuivaient dans cette veine, ils devraient embaucher de nouveaux employés.

Bien joué, papa.

Il savait à quel point son père était nerveux, mais cela ne l'empêchait pas de se lancer. Quant aux préoccupations de Stephen au sujet de travailler avec lui, la réalité n'était pas du tout ce qu'il avait prévu. Ils bossaient très bien ensemble. Stephen supervisait la gestion quotidienne de l'entreprise et son père le laissait faire. Leurs chemins se croisaient habituellement plusieurs fois par jour, mais parfois pas du tout.

Ça va bien se passer.

Il retourna à son bureau et ferma la porte. Par la fenêtre, l'horizon de Boston était visible, avec ses gratte-ciel scintillants qui reflétaient le ciel comme des miroirs. Il n'y avait peut-être pas autant de soleil qu'à San Diego, mais Stephen s'en fichait. Il était heureux d'être de retour.

Il tourna la tête en direction de la porte lorsqu'il entendit un coup y être frappé.

— Entrez.

Il sourit quand son père s'exécuta.

— Depuis quand as-tu besoin de frapper ? C'est

ton entreprise.

Son père haussa les épaules.

— Peut-être, mais ça reste ton bureau.

Il pencha la tête sur le côté.

— Tu as une minute ?

Il referma la porte derrière lui.

— Pour toi ? Plusieurs même.

Stephen désigna la chaise en face de son bureau.

— S'il te plaît, assieds-toi.

Il attendit que son père s'exécute.

— Est-ce que tout va bien ?

Une telle visite était suffisamment extraordinaire pour l'inquiéter.

— Je voulais simplement te parler, si tu es d'accord.

Le cuir chevelu de Stephen le picota.

— Bien sûr.

Il s'enfonça dans son fauteuil et enroula ses doigts autour de sa tasse. Son père l'étudia pendant un moment, et quelque chose se retourna dans l'estomac de Stephen. Finalement, son père prit la parole :

— Est-ce que tu es heureux ?

Stephen cligna des yeux.

— Pardon ?

— J'ai peut-être tort, mais j'ai l'impression que tu n'étais pas si heureux que ça en Californie. Non pas que tu aies dit quelque chose…

Stephen gloussa.

— Nous ne parlons pas de choses personnelles, tu te souviens ?

La plupart de leurs conversations se résumaient à : «*Je sais ce qui se passe, mais je ne veux pas le savoir, si tu vois où je veux en venir*».

— Oui. Je ne vais pas gagner le prix du meilleur père de l'année, c'est certain. Tu nous as jeté tout ça au visage.

Il ricana.

— Tu sais, ta mère m'a souvent blâmé pour ce déménagement en Californie.

Stephen écarquilla les yeux.

— Elle pense que c'est la Californie qui m'a rendu gay ?

— Oui, je sais de quoi ça a l'air.

Il marqua un temps d'arrêt avant de regarder son fils dans les yeux.

— Mais j'avais parfois l'impression qu'il se passait des choses que j'aurais dû savoir.

Stephen réprima un frisson.

— Fais-moi confiance. Tu ne veux vraiment pas savoir.

Le regard de son père s'assombrit.

— Tu es heureux de ce nouveau déménagement ? De travailler avec moi ?

— Bien sûr.

Si son père devait lui poser la question, alors Stephen s'y était mal pris. Son père hocha la tête, apparemment satisfait de sa réponse.

— Bien. Je suis heureux.

Il fit alors un geste du bras.

— Parce que tout ceci est pour toi.

— Attends, quoi ?

Il fronça les sourcils. Son père se renfonça dans sa chaise.

— Fils, j'ai cinquante-cinq ans. Penses-tu vraiment que je souhaite diriger une entreprise durant les vingt prochaines années ? J'ai lancé cette entreprise parce que j'en avais assez de travailler pour quelqu'un d'autre. J'en avais marre de réaliser les rêves de quelqu'un d'autre. Nous allons travailler dur et faire de cette entreprise une grande entreprise. Ensuite ? Je vais te passer le relais et prendre ma retraite. Une fois que je serai parti, elle sera entièrement à toi. Il est donc important pour moi que tu sois heureux dans ton travail.

Stephen sourit.

— Je le suis. Mais pouvons-nous ne pas parler de quelque chose qui est encore loin ?

Son père lui sourit en retour.

— Nous allons tous mourir un jour, fils. C'était important pour moi de m'assurer que tu seras toujours bien nourri. Maintenant, je suppose que tout ce que nous avons à faire, c'est de régler le reste de ta vie. Une maison. Un compagnon.

Stephen fronça les sourcils.

— Tu comptes me trouver un compagnon ?

Son père renifla.

— Je pense que je vais te laisser t'en charger.

Il marqua un temps d'arrêt.

— Je connais ta mère, et je ne parle pas de ces choses, mais nous y pensons. Beaucoup. Nous voulons vraiment que tu sois heureux.

Un intense sentiment de chaleur l'envahit.

— C'est ce que je veux, moi aussi.

Son père lui jeta un autre regard aiguisé.

— Tu nous le dirais, n'est-ce pas ? Si quelque chose n'allait pas ?

— Papa, tout va bien, lui assura Stephen. J'adore partager mon toit avec Jamie. J'adore mon travail. Et… j'adore que nous ayons eu cette conversation. Ça nous a pris combien d'années pour le faire ?

— Je sais.

Le visage de son père rougit.

— Je suis également heureux que nous ayons parlé. Seulement…

Stephen leva la main.

— Je comprends. Il y a encore des choses que tu ne veux pas savoir. Tant mieux, parce qu'il y a des choses que je n'ai pas envie de partager avec toi.

Son père laissa échapper un soupir de soulagement évident.

— Alors, ça fonctionne vraiment ? Toi et Jamie en collocation ?

Stephen sourit.

— Oui. J'ai retrouvé mon meilleur ami.

— Sauf qu'il n'est plus tout à fait le même.

Il croisa le regard de son père.

— De toutes les façons qui sont importantes, il l'est.

Son téléphone sonna brièvement.

— Et c'est l'alarme qui m'indique que ma pause déjeuner est terminée, alors je suppose que je ferais mieux de reprendre la direction de ton entreprise.

Il sourit.

— Je dois m'assurer que tu as suffisamment

d'argent pour rendre une retraite confortable et maman heureuse, bien entendu.

— Je ne suis pas encore prêt à me retirer.

Stephen ricana.

— Content de l'entendre.

Son père se leva et quitta son bureau. Stephen termina son café.

Je ne l'avais pas vu venir.

La seule chose qui lui avait fait mal à propos de cette conversation, c'était la référence à la situation de Jamie. Il lui semblait que Jamie avait raison. Certaines personnes avaient beaucoup de préjugés vis-à-vis des personnes handicapées.

Stephen ne s'attendait tout simplement pas à ce que son père soit l'une d'elles.

Chapitre 13

Octobre

Jamie termina de charger le lave-vaisselle. C'était à son tour de préparer le dîner, et ses pâtes nappées de sauce tomate épicée avaient été simples mais apparemment bien reçues : Stephen avait mangé deux assiettes. Ce qui donna à Jamie toutes les munitions dont il avait besoin.

— Mec, tu peux le dire, tu sais.

Jamie baissa les yeux vers le ventre de Stephen.

— Au vu de la façon dont tu manges ? Tu vas prendre rapidement des kilos.

Stephen se tapota le ventre.

— Tu vois des bourrelets ? Non, tu n'en vois pas. Tu sais pourquoi ? Parce que je fais du sport tous les soirs.

Jamie hocha la tête en signe d'approbation.

— Tu as déjà pensé à venir à la salle de sport avec moi ? Ce serait amusant de s'y entraîner ensemble.

Stephen lui jeta un coup d'œil réfléchi.

— Oui, mais quand ? Je ne rentre à la maison qu'après dix-huit heures. Ensuite, on mange, et avant que l'on puisse s'en rendre compte, c'est déjà l'heure d'aller au lit.

— Eh bien, allons-y lorsque tu rentres à la maison. Je ne dis pas que nous devons y passer des heures. Pour l'amour de Dieu, ma salle de sport est juste au coin de la rue. Je ne prends même pas ma voiture pour y aller.

Il battit des cils.

— Qu'en dis-tu ?

Stephen ricana.

— Bon sang, tu recommences.

Jamie sourit.

— Ah ah. Je sens que tu faiblis.

— Bien sûr. Nous irons demain, répondit Stephen en souriant. Et si nous y allions le vendredi soir ? Ce n'est pas comme si l'un de nous avait un rencard de toute façon, pas vrai ? Est-ce que c'est habituellement bondé ?

— Je n'en ai pas la moindre idée. J'y vais normalement plus tôt. Mais je pense que tout le monde a la même idée que toi, et qu'ils prévoient de passer autrement leur vendredi soir.

Il sourit.

— S'il est là, je te présenterai un de mes amis, Jack. Son corps nous ferait honte à tous les deux. Même ses muscles ont des muscles.

Les yeux de Stephen scintillèrent.

— Ah ah. Maintenant je comprends pourquoi tu aimes y aller.

— Pas si vite avec les suppositions. Jack est hétéro et marié. Et crois-le ou non, je n'y vais pas pour chasser les mecs.

— C'est ce que tu dis.

Ce sentiment était toujours là. Jamie n'était pas sur le point de partager avec lui certaines de ses rencontres à la salle de sport. Parfois, c'était comme s'il avait grandi avec une deuxième tête, à en juger par les regards qu'il recevait.

— Je ne prends pas ma douche là-bas. Je rentre à la maison pour ça.

La salle de sport comprenait une douche accessible aux personnes handicapées, mais elle partageait un espace avec les produits de nettoyage et autres joyeusetés. Il se sentait bien plus à l'aise dans sa propre salle de bain.

Stephen désigna la bouteille de vin.

— Tu en veux encore ?

Jamie secoua la tête.

— C'est bon pour moi.

Il attendit que Stephen ait rangé la bouteille dans le réfrigérateur.

— Cependant, je prendrais bien un café.

— Je vais en préparer.

Stephen s'acquitta parfaitement de sa tâche. Une fois la cafetière allumée, il rangea les assiettes propres, qu'il récupéra dans le lave-vaisselle, et essuya les plans de travail de la cuisine. Jamie aimait la façon dont il s'occupait de leur maison.

Stephen le regarda.

— Pourquoi tu souris ?

— Je réfléchissais. Tu es mon premier colocataire, et je n'ai même pas besoin de te former pour t'occuper de la maison.

Stephen leva les yeux au ciel.

— Dieu merci, mes années d'université ont été utiles à quelque chose.

Jamie ricana.

— C'est très bien. Tu es doué pour apprendre.

— Regarde qui j'ai pour professeur, rétorqua-t-il.

— En parlant d'enseignants… tu te souviens de Monsieur Wilson, notre professeur d'Histoire en cinquième année ?

Stephen se tourna vers lui.

— Grand, maigre, qui portait toujours un jean et un chandail ?

— Celui-là. Peu de temps après ton départ, il s'est marié.

Stephen fronça les sourcils.

— Et alors ? Il n'était pas si mal.

Il sourit.

— En réalité, si je me souviens bien, il était plutôt mignon.

Jamie partagea son sourire.

— De toute évidence, son mari le pensait également.

Stephen ferma les yeux.

— Ce n'est pas possible.

Jamie hocha la tête avec joie.

— Apparemment si, c'est ce qui se racontait dans tout l'établissement.

— Ils n'ont pas essayé de le virer, pas vrai ?

Jamie renifla.

— Comme s'ils en avaient le pouvoir. Son oncle

était le surintendant scolaire.

— Comment sais-tu tout ça ?

Il se frotta les ongles sur sa chemise.

— J'avais mes sources. Une source, pour être exact. Un gars du nom de Reece, dont la mère appartenait au conseil scolaire.

Lorsque le front de Stephen se fronça, Jamie fit un signe de la main.

— C'était après ton départ.

Et Jamie aurait pu en dire bien davantage au sujet de ce garçon, s'il en avait ressenti l'envie.

— Alors, comment était le mari de Monsieur Wilson ? Est-ce que tu l'as vu ?

— Quelques fois, bien sûr. Je les ai aperçus ensemble au centre commercial un samedi. Ils étaient à la recherche de vêtements.

Il soupira.

— Ils se tenaient par la main, lorsqu'ils pensaient que personne ne pouvait les voir. J'ai adoré ça.

Il pencha la tête sur le côté.

— C'était comment le lycée sur la côte ouest ? Je ne peux pas m'empêcher d'imaginer de beaux adolescents avec des dents parfaites, de jolis bronzages et un air californien.

Stephen s'esclaffa.

— Tu imagines bien. On parle d'un pourcentage de 90 % de beauté. Tellement de nanas arrivaient à l'école avec des cheveux parfaits et un maquillage impeccable tous les jours. Tellement qu'elles auraient très bien pu être mannequins à la place d'élèves.

— Et qu'en est-il des garçons ?

— La plupart étaient également magnifiques.

— Y en a-t-il eu parmi eux ?

C'était la façon détournée de Jamie de découvrir si Stephen avait eu des béguins dont il n'avait pas d'objection à parler. Stephen se rassit à la table en apportant deux tasses de café.

— Puisque l'un d'entre eux était mon premier, je suppose que oui.

Jamie sourit.

— Raconte-moi.

Stephen leva la main.

— Tu ne veux pas entendre ça.

— Bien sûr que si. Et je vais passer un marché. Si tu me racontes ta première fois, je te parlerai de la mienne.

— D'accord.

Stephen s'adossa à sa chaise.

— Il s'appelait Corbin.

— Donne-moi des détails. Blond, roux, brun ? Taille, poids, pointure, préférences sexuelles ?

Stephen ricana.

— Et si tu me laissais parler sans m'interrompre ?

Jamie se verrouilla les lèvres et le laissa poursuivre.

— Il était un peu plus vieux, avait des cheveux blonds, les yeux bleus, un bronzage doré et un sourire éclatant.

— Ça m'a tout l'air d'être un parfait apollon, comme ta mère l'a dit une fois.

Stephen gémit.

— Oh mon Dieu, elle parlait de Patrick Stewart dans Xmen, c'est ça ?

— N'avait-elle pas dit la même chose à propos de Yul Brynner dans The Magnificent Seven ?

Jamie agita ses sourcils.

— Elle a un faible pour les chauves, tu ne crois pas ? Ton père est-il au courant ? Se rend-il compte qu'un de ces jours, il va se réveiller la tête rasée ? Il faut qu'il cache les rasoirs et les tondeuses.

Stephen le frappa au bras, et il se frotta rapidement.

— Oh ! Vas-y doucement. Mon idée d'un apollon dans ce film ? Hugh Jackman.

— Le tien et celui d'environ un million d'autres hommes gays, répliqua Stephen en souriant.

— Revenons à Corbin.

Jamie écarquilla les yeux.

— Il était plus grand que toi ? Ça devait être quelque chose. Parce que je ne peux vraiment pas te visualiser avec un minus d'un mètre cinquante. Bien que je suppose que cela fonctionnerait aussi. Il aurait pu se tenir droit et te sucer en même temps.

Stephen loucha vers lui, et Jamie se tut rapidement.

— C'était presque l'été, la fin du lycée. Ses parents étaient partis pour le week-end et il a organisé une fête. Je pense que la majeure partie des élèves de terminale étaient présents. Quoi qu'il en soit, vers minuit, lorsque tout le monde commençait à partir, il m'a demandé de rester.

Jamie espérait de tout cœur que la première fois de Stephen avait été agréable.

— Est-ce que ça s'est bien passé ?

Stephen ricana.

— Ce fut rapide. Nous avons duré environ cinq minutes, puis ses grands-parents sont arrivés. Il s'est avéré que ses parents leur avaient demandé de garder un œil sur la maison. Ils étaient allés au théâtre et étaient passés pour le voir.

— Oh non. Vous vous êtes fait prendre ?

— Non, mais c'est seulement parce qu'il m'a fait sortir par la fenêtre de sa chambre et escalader l'arbre.

Stephen renifla.

— Je me suis presque cassé la cheville lorsque je suis tombé. J'ai dû dire à mes parents que j'avais trébuché sur le chemin du retour. Heureusement, ils m'ont cru.

— En as-tu au moins profité pour le revoir ?

— Non. Ce quasi-accident a suffi à le refroidir. Et je ne l'ai pas vraiment revu après l'obtention de notre diplôme. Pour être honnête, j'ai été très surpris lorsqu'il m'a demandé de rester cette nuit-là. Il m'avait fait de l'œil tout au long de la soirée, mais je ne m'attendais pas à ce qu'il en découle quoi que ce soit.

Stephen soupira.

— Il a probablement pensé que je serais un choix sûr. Ce que j'étais. Je n'en pouvais plus d'attendre de m'envoyer en l'air.

Il croisa le regard de Jamie.

— Et toi ?

Ce dernier grogna.

— Tu ne vas pas le croire. Ma première fois n'a pas duré beaucoup plus longtemps que la tienne.

J'étais en voyage scolaire pendant ma dernière année. Ils nous ont fait visiter un parc national. Quoi qu'il en soit, je me suis faufilé dans un coin avec Reece lorsque nous avons compris que personne ne nous regardait, et nous nous sommes cachés dans les bois.

— Reece ? Celui dont la mère était membre du conseil scolaire ?

Stephen ricana.

— Savait-elle ce que faisait son petit garçon ?

Jamie renifla.

— Il n'était très certainement pas petit.

— Alors, comment était-il ?

— Il n'avait rien à voir avec le Dieu grec Corbin, je peux te l'assurer. Reece avait un peu l'apparence d'un nerd, mais il savait très certainement comment embrasser. Je suppose que c'est à ce moment-là que j'ai découvert que j'en étais capable moi aussi, parce que j'ai réussi à faire naître de la buée sur ses lunettes.

Stephen ricana.

— On dirait que c'était une expérience mémorable.

Jamie hocha la tête.

— Et cela m'a appris quelque chose aussi.

— J'ai presque peur de poser la question.

Il sourit.

— Ne jamais baiser contre un arbre. L'écorce est rugueuse. Mon cul a été très égratigné. Dieu merci, ça n'a pas duré très longtemps.

Il soupira.

— En réalité, c'était beaucoup trop rapide, parce

que nous ne voulions pas que quiconque remarque que nous étions partis. J'étais également son premier. Nous avons tenu suffisamment de temps pour une pipe et quelques minutes de baise inexpérimentée. Ses mains étaient partout. Ou tout du moins Reece s'est fait sucer pour la première fois, puis nous avons rejoint le groupe.

Il ricana.

— Et moi, j'ai fait de mon mieux pour marcher comme si je n'avais pas eu la queue de Reece dans le cul.

Stephen fit la grimace.

— Outch. Ouais, ça a vraiment l'air mémorable.

Puis il regarda Jamie droit dans les yeux.

— Seigneur, dis-moi que vous aviez du lubrifiant.

Jamie renifla.

— Tu plaisantes ? Comme si l'un de nous avait pensé à se rendre dans une pharmacie pour en acheter.

— Alors je répète : aïe.

— Ce n'était pas aussi grave que ça en a l'air. Nous nous sommes contentés de… autre chose.

Il toussota. Stephen se mordit la lèvre.

— Oh mon Dieu. Qu'avez-vous utilisé ?

Jamie devinait que ses joues devaient être rouge vif en cet instant.

— Nous avions apporté nos déjeuners dans des sacs, et sa mère lui avait préparé un sandwich au saucisson.

Il se tut. Il en avait déjà trop dit. Stephen baissa la tête. Puis, un instant plus tard, ses yeux étaient plus grands que jamais.

— Vous… vous avez utilisé la *mayo* comme lubrifiant ?

— C'est tout ce que nous avions ! Et si tu penses que ta mère est une dure à cuire en matière de propreté… imagine essayer d'expliquer des tâches de mayonnaise dans ton caleçon.

Stephen éclata de rire, des larmes coulaient sur ses joues, et Jamie ne put s'en empêcher. Une seconde plus tard, il riait lui aussi. Stephen parvint finalement à se maîtriser.

— Alors, qu'est-ce que tu lui as dit ?

Jamie lui jeta un regard incrédule.

— Mec, vraiment ? Je l'ai enfoncé si profondément dans les ordures qu'on ne l'a plus jamais revu. Crois-tu vraiment que je suis stupide ?

Il hocha la tête toujours en riant.

— Eh bien, à part la mayo, on dirait que nous avons vécu des expériences similaires. Dieu merci, ça s'est amélioré par la suite.

Jamie garda le silence à ce sujet. En réalité, il désirait changer de sujet, au cas où Stephen lui poserait des questions embarrassantes auxquelles il ne voulait pas répondre.

— Tu sais, il y a autre chose que nos expériences avaient en commun, annonça tout à coup Stephen, son expression devenant plus sérieuse.

— Qu'est-ce que c'est ?

— Je ne sais pas pour toi, mais je n'aimais pas Corbin. Ce qui était un peu triste. Je me suis toujours dit que ma première fois serait avec quelqu'un que j'aimais, mais au bout du compte…

— On a toujours envie de croire que ça se passera

comme nous l'avions imaginé, pourtant il était là et m'offrait une chance de le découvrir.

Lorsque Stephen hocha la tête lentement, Jamie soupira.

— J'avais en effet souhaité la même chose que toi.

Et si ça avait été toi ?

Je pense que mon vœu aurait été exaucé.

Il ne pouvait plus en parler. Ils naviguaient trop près de la brèche, et Jamie ne désirait pas dévoiler quelque chose qu'il regretterait par la suite. Comme ses sentiments pour son colocataire.

— Hé, c'est bientôt l'anniversaire de ta mère, non ?

Stephen hocha la tête.

— Samedi. C'est fou que tu t'en souviennes.

— Je te l'ai dit. Je n'oublie jamais rien. Qu'as-tu prévu pour elle ?

— Tu sais, comme d'habitude. Une carte, des fleurs…

Jamie soupira.

— Bien sûr. Parce que rien ne dit plus « je n'avais pas le temps » qu'un bouquet de fleurs que tu auras acheté en chemin pour aller la voir. Pourquoi ne pas faire un effort ? La surprendre ?

— Pourquoi ? Tu as une idée de la manière dont je pourrais m'y prendre ?

— Bien sûr. Fais-lui un gâteau.

Stephen l'observa bizarrement.

— Je sais cuisiner, oui, mais je ne sais pas faire de pâtisserie.

— Tu es capable de suivre une recette ?

Il cligna des yeux.

— Eh bien, oui.

— Qu'y a-t-il de différent dans ce cas ? Il suffit de suivre la recette.

Stephen lui jeta un coup d'œil spéculatif.

— Est-ce que tu sais pâtisser ?

Jamie haussa les épaules.

— Je n'en ai pas la moindre idée. Je n'ai jamais essayé. Mais à quel point cela peut-il être difficile ?

Cela le fit sourire.

— Dans ce cas, tu vas m'aider.

Jamie regretta alors sa suggestion. Il avait un très mauvais pressentiment à ce sujet.

— Tu penses toujours que je devrais lui faire un gâteau ? lui demanda Stephen, les yeux brillants. Parce que tu sembles moins enthousiaste.

Jamie repensa à toutes ces fois où il avait regardé sa mère dans la cuisine, peser la farine, fendre les œufs, fouetter, battre, plier…

— Non, nous pouvons le faire.

Ça ne doit pas être si difficile, pas vrai ?

D'ombres et de lumière

Chapitre 14

Jamie avait raison à propos d'une chose : il n'y avait pas beaucoup de monde à la salle de sport le soir suivant.

—Cela semble être un bon endroit, commenta Stephen lorsqu'ils entrèrent au rez-de-chaussée.

—C'est parce que c'est un bon endroit.

Jamie était tombé dessus peu de temps après avoir acheté sa maison. Il n'avait aucune expérience avec les salles de sport, mais d'après ce que Jack lui avait dit, celle-ci était mieux que la plupart. D'abord, il y avait un ascenseur, sans parler d'une rampe à l'entrée principale. Il y avait également beaucoup d'espace entre les machines pour qu'il puisse manœuvrer son fauteuil correctement. Ce ne fut qu'après avoir été ami avec Jacques pendant un certain temps que ce dernier s'était confié à lui. Apparemment, lorsqu'il avait été engagé, tout l'équipement avait été placé beaucoup plus proche les uns des autres. Jack cherchait une salle de sport pour sa femme, et s'était entretenu avec le directeur de la salle. À eux deux, ils avaient repensé l'aménagement, permettant ainsi l'accès au fauteuil roulant.

Non pas que Jamie ait vu quelqu'un d'autre dans

sa situation utiliser la salle de sport. C'était probablement la raison pour laquelle il récoltait autant de regards surpris.

— Est-ce que tu as une routine ? lui demanda Stephen.

Jamie hocha la tête.

— J'ai un ensemble de machines que j'aime utiliser pour le torse, le dos et les bras.

Il désigna la panoplie de machines sur la gauche.

— Elles servent toutes à entraîner le haut du corps. De l'autre côté, c'est pour travailler le bas.

Il sourit.

— Sur quoi souhaites-tu travailler aujourd'hui ?

Stephen scruta l'ensemble de la pièce.

— Le bas du corps, je crois.

Il se toisa.

— Penses-tu que j'ai besoin de travailler mes jambes ?

Jamie se dit qu'avouer à Stephen que ses jambes étaient plutôt parfaites n'était pas la bonne réponse à lui fournir.

— C'est un bon début, biaisa-t-il.

— Oui, mais par quelle machine dois-je commencer ?

— Pour le coup, je ne te suis d'aucune aide, mais je vois un homme là-bas qui peut aider.

Il fit signe à Carlos, qui essuyait un appareil hip-adduction.

— Hé, Carlos.

Ce dernier lui serra brièvement la main.

— Qu'est-ce que tu fais ici ? Ce ne sont pas des horaires habituels.

— Tu sais ce qu'on dit. Un changement est aussi bon qu'un repos.

Jamie désigna Stephen du doigt.

— Je te présente mon meilleur ami, Stephen. Pourrais-tu lui parler des machines pour bosser le bas du corps pour qu'il puisse essayer ?

Il lui fit un clin d'œil.

— Éblouis-le !

Carlos sourit.

— Je vais faire de mon mieux. Alors, ne t'attarde pas. Vas-y. La rangée assise est déserte, je sais que tu aimes commencer par ça.

Il tapota ensuite le bras de Stephen.

— Je prendrai bien soin de lui.

— Juste ce qu'il faut.

Jamie jeta un coup d'œil à son ami.

— Je vais te le dire une fois. N'exagère pas. Tu entends ? Il suffit de faire quelques sessions sur chaque, d'accord ?

Stephen leva les yeux au ciel.

— Oui, papa.

Carlos se mit à rire, avant de le diriger vers la machine pour les jambes. Jamie se dirigea vers le banc, son préféré. Il plaça son fauteuil aussi près que possible du siège rembourré afin de pouvoir s'y transférer aisément, et souleva sa jambe pour s'y asseoir à califourchon. Le coussinet thoracique pressé contre son sternum, il se pencha vers l'avant pour saisir les poignées et commença lentement à les tirer vers son corps. En face, Stephen était positionné sur le siège coulissant, ses pieds à hauteur de poitrine. Jamie prit un moment pour admirer la courbe de ses mollets et l'aspect tonique de ses quadriceps lorsqu'il poussait avec ses pieds, le siège glissant de haut en bas à chaque mouvement.

Le short est un bonus.

Je pourrais commencer à apprécier de faire équipe à la salle de sport. Surtout si Stephen vient toujours en short.

Jamie se donna un coup de pied mental. Il était venu ici pour faire de l'exercice, pas pour jouer les pervers. Mais merde, c'était impossible de ne pas le regarder. Avec ses longues jambes. Jamie n'arrêtait pas de les imaginer se courber pendant que Stephen s'accroupissait sur lui, pendant qu'il prenait...

Non. Non. Non. Arrête ça.

Jamie se concentra sur sa respiration, gardant des mouvements fluides. Sauf que son regard était continuellement attiré vers Stephen. Puis il remarqua que Carlos lui montrait le squat en V.

Oh non. Bon sang, non !

Jamie baissa la tête et fit de son mieux pour ne pas lever les yeux, mais cela ne servit à rien. Il devait voir. Il jeta un coup d'œil et...

Doux Jésus, regarde ce cul.

Jamie observa, captivé, alors que Stephen descendait lentement dans un squat, une barre reposant sur ses épaules, son cul fermement moulé dans son short.

Et c'était un sacré cul. Il ne lui fallut pas faire preuve de beaucoup d'imagination pour l'imaginer entièrement nu, les mains de Jamie sur ses globes fermes, les palpant, les écartant, le révélant à sa vue.

OK, qui a monté le chauffage ?

C'est alors qu'une pensée lui vint.

Ce connard.

Il le faisait exprès. Mais comment avait-il pu ? Stephen regarda dans la direction opposée. Et peut-être que c'était ce que Jamie devait faire, parce que le corps de Stephen était une sacrée distraction. Il termina sur le banc, puis retourna dans son fauteuil et se dirigea vers la machine pour les bras. Ce choix était délibéré. Ainsi, il faisait face de loin à Stephen. Jamie reposa ses bras sur la surface rembourrée, et les enroula lentement vers son visage, se concentrant sur sa respiration.

La normalité reprit son cours.

Carlos apparut à ses côtés.

— Ton ami attire beaucoup de regards, dit-il en souriant.

— Oh ?

Jamie tenta de conserver une intonation décontractée, se concentrant sur ses triceps.

— Tu crois que tu pourrais essayer de le convaincre de se joindre à nous ? Parce qu'il embellit vraiment l'endroit.

Jamie croisa son regard.

— Je ne manquerai pas de transmettre cette information.

Il ne put résister et ajouta :

— Surtout à Ray.

Les yeux de Carlos s'écarquillèrent.

— Tu ne ferais pas ça !

Non, il ne dénoncerait pas Carlos à son petit ami, mais Seigneur, c'était amusant de le taquiner ainsi.

— Je ne dirai pas un mot, promit-il. Mais tu ferais mieux d'aller nettoyer.

— Nettoyer quoi ?

— Le sol. Il est couvert de bave, plaisanta Jamie. On dirait que tu n'es pas le seul à avoir bavé.

— Oui, mais il ne le remarque même pas.

Cela le fit se figer sur place.

— Sérieusement ?

Jamie se retourna pour observer Stephen se concentrer sur son exercice, apparemment inconscient des regards appréciateurs qu'il recevait de deux ou trois membres de la salle de sport. Une pensée lui traversa l'esprit.

Je parie que je peux le faire me remarquer.

Cette fois, lorsque la petite voix se manifesta dans sa tête pour l'avertir qu'il ne devait pas aller dans cette direction, Jamie ne l'écouta pas.

Stephen se doutait qu'il allait le regretter d'ici la fin de la journée. Le conseil de Jamie à propos d'y aller doucement avait été ignoré, parce qu'il avait réellement apprécié l'effort physique. Il s'était senti vraiment bien en faisant certains étirements, en particulier celui de l'intérieur des cuisses avec l'appareil hip adduction.

Il fit une pause une minute, cherchant Carlos pour qu'il puisse passer sur une autre machine, mais ce dernier était occupé à parler avec plusieurs gars au fond de la salle. Stephen jeta alors un coup d'œil pour trouver Jamie et aperçut rapidement son fauteuil. Jamie lui tournait le dos, tirant sur les poignées, le dos fléchi.

Dieu, ce qu'il était beau avec son corps se déplaçant ainsi.

Pourquoi n'ai-je pas remarqué ça auparavant ?

Il se dit alors qu'il n'avait jamais vu Jamie sans ses vêtements, sauf au cours d'un bref aperçu lorsqu'il sortait de la salle de bain et que Jamie y entrait. À en juger par ce qu'il voyait, il avait certainement manqué des choses. Le haut du corps de Jamie était tonique, pas trop musclé, mais avec une définition suffisante des muscles pour que Stephen désire retracer sa peau du bout de la langue.

Cette impulsion mentale le choqua. Il avait toujours pensé à Jamie comme, eh bien, Jamie, son meilleur ami, gentil, généreux et drôle. Le genre d'homme dont Stephen désirait secrètement tomber amoureux. Quelqu'un de solide et de fiable. Donc cela lui apparut comme un électrochoc de réaliser à quel point il le désirait.

Mais je ne peux pas l'avoir, pas vrai ? Du moins, pas comme ça.

Mon Dieu, quel gâchis ! Jamie méritait d'être touché, caressé, embrassé… Stephen observa son fauteuil roulant.

Et à cause de cet engin, il va manquer tellement de choses.

Ce n'est pas juste.

— Stephen ?

Il revint au moment présent. Jamie le regardait en souriant.

— Tu envisages ton prochain mouvement ?

Stephen gloussa.

— Je suppose qu'on ne se laisse jamais aller.

Jamie se mit à rire.

— Pas au milieu d'une salle de sport, non.

Ses yeux brillaient.

— N'en fais pas trop, d'accord ?

— Non, je te le promets, mentit-il.

Si Jamie lui avait proposé un coup d'un soir en cet instant, il aurait volontiers accepté. Non pas qu'il oserait avouer une telle chose.

— J'attends que Carlos me parle de la prochaine machine.

— D'accord. Mais n'oublie pas ce que je t'ai dit.

Jamie se dirigea vers une autre machine, juste à l'approche de Carlos, qui lui pointa du doigt le prochain dispositif de torture diabolique.

Oui, il en avait déjà trop fait.

Jamie s'assit sur sa chaise dans la baignoire et laissa l'eau chaude évacuer sa transpiration et ses tensions. Une fois qu'il s'était réellement concentré, cela avait été une bonne séance. En réalité, il en avait fait plus que d'habitude, mais c'était grâce à Stephen. Dans la dernière moitié de leurs heures passées à la salle de sport, c'était devenu une sorte de compétition. Si Jamie faisait deux séries sur une machine, Stephen en réalisait trois. Ce qui avait fait rire Jamie. C'était comme s'ils étaient redevenus des enfants.

Sauf que les enfants ne souffraient pas le martyre après une heure d'exercice.

Il avait toujours l'impression que c'était un miracle de réussir à s'entraîner ainsi, étant donné les… distractions. Ce n'était pas mal, n'est-ce pas, de convoiter son colocataire ? Après tout, ce n'était pas comme si Jamie était sur le point de lui sauter dessus. Mais Seigneur, la simple idée de passer à l'acte faisait naître un intense sentiment de chaleur en lui.

Il coupa l'eau et tendit la main pour attraper sa serviette. Au moins, Stephen n'attendait pas dehors. Il s'était douché au gymnase. Jamie s'essuya vigoureusement les cheveux, puis se sécha autant qu'il le put avant de se transférer dans son fauteuil. Alors qu'il ouvrait la porte, il capta le son indubitable d'un faible gémissement.

— Est-ce que ça va ?

Un soupir s'ensuivit.

— Oui. C'est ce que je récolte pour ne pas avoir suivi tes conseils. Je suis mon pire ennemi.

— Donne-moi une seconde. Je dois aller m'habiller.

Jamie roula jusque dans sa chambre, grimpa sur son lit, et entreprit sa routine habituelle de tourner rouler pour enfiler ses vêtements. Lorsqu'il fut décent, il entra à nouveau dans le salon. Stephen était allongé sur le canapé.

— Je suis en train de mourir, annonça-t-il.

Seigneur, c'est si mignon.

Jamie renifla.

— C'est grave, n'est-ce pas ?

Il se poussa jusqu'au canapé.

— Où est-ce que ça fait mal ?

— Mes jambes, mes fesses.

— Je peux t'aider pour tes jambes. Quant à tes fesses, tu pourras t'en occuper.

Non pas qu'il n'appréciait pas l'idée d'enfoncer son pouce dans ce cul ferme afin de le pétrir.

Calme-toi, mon garçon.

— Comment est-ce que tu pourrais aider ?

Jamie se transféra sur la méridienne du canapé, puis se tortilla en traînant les pieds jusqu'à ce qu'il soit installé contre les coussins du canapé.

— Tourne-toi pour que je puisse atteindre, dit-il en riant.

Stephen s'agita jusqu'à ce que ses jambes se retrouvent sur les genoux de Jamie. Il attrapa la jambe gauche de Stephen et commença à frotter son pied nu, le manipulant, pressant ses pouces contre sa plante.

— Oh mon Dieu, c'est incroyable.

Le gémissement de Stephen était complètement différent en cet instant.

— N'arrête pas.

— Il le faut. Je dois m'occuper de ton autre jambe.

Il se déplaça vers le mollet de Stephen, prenant son

temps, frottant et pétrissant la chair, puis passa à l'autre jambe.

— Est-ce que c'est mieux ?

— Oui, déclara Stephen avec un soupir. J'en ai trop fait, pas vrai ?

— Oui.

— Tu n'as pas besoin d'acquiescer aussi rapidement, gémit Stephen. J'ai des douleurs là où je n'en ai jamais eu auparavant.

Il passa ses mains sur ses cuisses.

— J'ai vraiment exagéré avec cette machine.

En parlant de tentation…

Jamie avait sur le bout de la langue l'envie de lui demander s'il pouvait continuer à le masser, mais c'était un territoire dangereux. Surtout lorsque Stephen portait des vêtements qui rendaient évident qu'il n'avait pas pris la peine d'enfiler un caleçon.

Oh mon Dieu, regarde ça.

Stephen appréciait apparemment de se faire masser.

Jamie ne put résister. Il glissa ses mains un peu plus haut sur les genoux de Stephen et lui frotta lentement les cuisses. Ce dernier ferma les yeux et sa respiration devint superficielle. Jamie concentra ses efforts sur une cuisse, la pétrit, la caressa, tout en essayant de ne pas regarder ce qui se passait au niveau de l'entrejambe de Stephen.

Évidemment, Stephen était grand dans tous les domaines.

— Ça fait du bien, murmura-t-il. Tu as des mains merveilleuses.

Ce que Jamie aurait voulu faire de ses mains en cet instant aurait probablement été un pas de trop.

Probablement.

Un mec a bien le droit de rêver, non ?

— Toi aussi, tu es incroyable. Je t'ai observé. Tu as réalisé tous ces exercices avec énormément de facilité.

Jamie n'allait pas admettre qu'il en avait également trop fait. Stephen aurait trop apprécié.

— J'y vais depuis un certain temps, n'oublie pas. Mais j'ai souffert la première fois.

Stephen leva sa tête du coussin et sourit.

— Oui. Je crois qu'avoir un œuf dans les fesses me ferait moins mal.

Il ricana.

— Oh, tu vas certainement plus vite que prévu. Ma formation fonctionne de toute évidence.

Il garda ses mains sur les cuisses de Stephen.

— Peut-être qu'un bain pourrait t'aider, suggéra-t-il. Ma chaise se soulève facilement.

Puis, il sourit.

— Bien sûr, il faudra te plier en deux pour y entrer.

— Tu trouves ça bien trop amusant.

— Je pourrais toujours te proposer un massage complet du corps, déclara-t-il aussi nonchalamment que possible.

Il leva ses mains.

— Elles sont plutôt habiles. Comme je pense l'avoir déjà prouvé.

Stephen se mordit la lèvre.

— Tu sais quoi ? Je vais passer mon tour. Je dois préparer le dîner de toute façon.

Son estomac choisit ce moment précis pour grogner, et il donna à Jamie un regard entendu.

— Aussi vite que possible.

Il dégagea ses jambes de l'étreinte de Jamie et se remit sur ses pieds.

— Je pense à quelque chose de rapide et simple.

— Il y a un reste de macaronis au fromage que ta mère nous a donné l'autre semaine. Il est dans le congélateur.

— Parfait.

Stephen l'abandonna et entra dans la cuisine. Jamie s'affaissa contre les coussins. À la manière dont Stephen avait soupiré lorsqu'il lui massait les mollets et les pieds… à la vue de sa transpiration et de… un sentiment de honte l'inonda.

Je le désirai ce soir, purement et simplement.

Mais il ne pouvait rien faire de plus qu'y penser.

Je suis une personne épouvantable.

Cependant, il restait cette once de doute en lui que Stephen avait pu volontairement se donner en spectacle pour lui. Comme avec l'exercice de squat. Il aurait pu faire cela face à face, mais Stephen avait choisi de le faire en tournant le dos à Jamie.

L'avait-il fait exprès ?

Jamie se sermonna mentalement. Si ça avait été une tentative de flirt, alors pourquoi ne pas poursuivre lorsqu'ils étaient arrivés à la maison ? Dieu savait qu'ils en avaient eu l'occasion. Toutefois, il n'y avait eu aucun signe de quelque chose du genre. Peut-être qu'il avait tout imaginé après tout.

Bon sang !

Chapitre 15

Cuisiner un gâteau s'avéra beaucoup plus divertissant que ce que Jamie avait prévu.

— Hé, ce n'est pas facile !

Stephen s'arrêta au milieu de sa pommade de beurre et de sucre.

— Comment diable es-tu censé obtenir quelque chose de moelleux ? C'est comme remuer du ciment. Nous aurions dû utiliser un mélangeur d'aliments.

— D'accord, sauf que je peux voir un tout petit problème avec cette idée.

Jamie lui adressa un doux sourire.

— Je n'en ai pas. Maintenant, continue à remuer.

Stephen croisa son regard.

— D'accord, M. Muscles, fais-le.

— Donne-moi ça, espèce de mauviette.

Il récupéra le saladier et le jeta sur les genoux de Jamie.

— Voilà. Maintenant, tu vas voir. Ce n'est pas si facile, pas vrai ?

Jamie battit la masse solide de beurre et de sucre, et peu à peu il pâlit, atteignant une consistance duveteuse.

— Oui, tu avais raison. Pas facile du tout. Impossible, même.

— Connard.

Stephen arracha le saladier de ses genoux, le plaça sur le comptoir et y versa l'œuf battu. Il recommença alors à le fouetter, le mélange se déplaçant autour.

— Hé, tu n'es pas censé l'ajouter petit à petit…

Stephen lui jeta un coup d'œil.

— C'est mon gâteau, tu te souviens ? N'importe qui peut suivre une recette, n'est-ce pas ? Il est écrit de battre dans l'œuf, c'est ce que je fais.

Il jeta un coup d'œil dans le saladier et s'immobilisa.

— Euh… ça n'a pas l'air correct.

— Et comment le saurais-tu ? Tu n'as jamais fait de pâtisserie auparavant !

— D'accord, je n'en ai peut-être jamais fait, mais…

Il poussa le saladier en direction de Jamie.

— Regarde-moi ça et dis-moi si ça a l'air acceptable.

Jamie jeta un coup d'œil et attrapa immédiatement son téléphone.

— Tu te sens obligé de le faire maintenant ? se plaignit Stephen. Que diable fais-tu ?

Jamie lui montra l'écran.

— Les ratages de gâteaux et comment les réparer.

Il parcourut le site Internet.

— D'accord, ajoute de la farine, rapidement, sans la battre. Il faut la faire plier.

— Et qu'est-ce que ça veut dire ?

Jamie essaya de se rappeler sa mère qui s'affairait dans sa cuisine.

— Ajoute la farine, mais remue le mélange avec une sorte de mouvement en figure en huit.

Il tendit la main.

— Bien, je vais te montrer.

Il s'empara du bol et fit de son mieux pour reproduire les mouvements de sa mère.

— Comme ça.

Il garda un mouvement lent et stable.

— Ce qui est marrant, c'est que ça coagule.

Ou en tout cas, il pensait que c'était le mot que sa mère avait utilisé lorsqu'elle avait montré à sa sœur comment réaliser un gâteau. Il pouvait encore voir Liz se tenir debout sur une chaise, son visage et ses mains recouvertes de pâte à gâteau. Elle devait avoir environ sept ans.

Stephen plia les bras, se couvrant de farine dans le processus.

— Vraiment. Eh bien, ne sommes-nous pas des experts ? Je peux le voir maintenant. Tu es capable de participer à la prochaine série du Great British Baking Show.

Jamie ricana.

— Maintenant, nous avons un but.

Il regarda dans son saladier et sourit.

— C'est mieux. Quelle est la prochaine étape ?

Stephen saisit le bol.

— Nous devons préparer du café pendant que je finis ça et que je le verse dans le moule de cuisson.

Puis nous boirons notre café en attendant.

Il se mit à sourire.

— Ce n'était pas si mal.

Jamie avait le sentiment que ce n'était pas encore fini.

Stephen fixa le moule à gâteau avec consternation.

— Que s'est-il passé ?

Il n'avait pas besoin de regarder Jamie pour savoir qu'il était sur son téléphone.

— Dis-moi que nous pouvons réparer ça.

Le gâteau était cuit, mais il avait coulé au milieu.

— Je ne peux pas le donner à ma mère.

Il ne ressemblait certainement pas à la photo sur la recette. Jamie soupira.

— Eh bien, nous ne pouvons pas le remettre dans le four en espérant qu'il gonflera un peu plus, parce que le reste semble cuit. D'après ceci, il y a plusieurs explications. Nous devrons vérifier la température du four la prochaine fois, et peut-être le faire cuire dans deux moules séparés, puis les réunir ensemble. Et…

Il se tut. Stephen lui jeta un coup d'œil.

— Et ?

Jamie se mordit la lèvre.

— Il est dit de ne pas ouvrir la porte du four pendant que le gâteau est en train de cuire, surtout au début.

Merde !

— Ah !

Son regard s'assombrit.

— Ne dis pas « je te l'avais dit ».

Jamie écarquilla les yeux.

— J'allais suggérer que nous recouvrions le haut de glaçage pour masquer le désastre.

Ses lèvres tremblèrent.

— Et j'allais ajouter « je te l'avais dit ».

— Je voulais voir comment ça se passait ! s'offusqua Stephen.

— Tu feras mieux la prochaine fois, pas vrai ?

— Et qu'est-ce que c'est que cette connerie d'utiliser deux moules à gâteau ? Tu ne m'en as jamais parlé lorsque tu m'as envoyé en acheter un.

— Je ne le savais pas, d'accord ? N'oublie pas que je n'en ai jamais fait.

Ils se regardèrent pendant un moment, puis le rire prit le dessus. Stephen secoua la tête.

— Pendant une seconde, j'ai eu envie de me battre avec toi jusqu'à ce que l'un de nous tombe au sol, comme nous le faisions lorsque nous étions enfants.

Jamie renifla.

— Oui, c'était ta façon habituelle d'essayer de gagner une dispute.

— Essayer ? Nomme une fois où je n'ai pas gagné.

Jamie sourit.

— Qu'est-ce qui était mieux… un Slurpee ou un McFlurry ?

Stephen ouvrit la bouche.

— J'avais raison. Un Slurpee, c'est beaucoup plus rafraîchissant.

— Qui a envie de se rafraîchir quand on peut manger de la crème glacée ?

— Autre avantage des Slurpees, on peut y ajouter de la vodka ou de la tequila.

Jamie renifla.

— Mais je n'aime pas la vodka ou la tequila.

Il ricana.

— Et voilà qu'on recommence. Et si on oubliait toute cette histoire, et qu'on décidait du glaçage que nous allons acheter pour couvrir le désastre que représente notre gâteau.

Ils s'observèrent pendant un moment, puis répondirent tous les deux simultanément :

— Chocolat.

Stephen sourit.

— Au moins, nous sommes d'accord sur quelque chose.

Il jeta un coup d'œil à ses vêtements.

— Je vais me changer, puis j'irai acheter du glaçage au chocolat.

— Oui, c'est peut-être une bonne idée.

Jamie semblait mourir d'envie de rire.

— Qu'y a-t-il de si drôle ? Mis à part l'apparence du gâteau, bien sûr.

— Tourne-toi.

Stephen fit ce qu'il lui demanda, et Jamie ricana.

— Tu as deux empreintes blanches sur les fesses.

Stephen se tortilla pour essayer de voir.

— Comment sont-elles arrivées là ?

— Ne me regarde pas comme ça. Je suis sûr que je me souviendrais d'avoir posé mes mains sur ton cul.

Il sourit.

— Ce n'est pas une chose que je serais susceptible d'oublier.

Stephen l'observa avec confusion, puis agita sa main.

— Je vais me changer.

Il sortit de la cuisine et se précipita dans sa chambre. Ce ne fut que lorsqu'il ferma la porte derrière lui que le sens des paroles de Jamie lui apparut vraiment.

On aurait vraiment dit que Jamie avait envie de lui toucher les fesses. Peut-être même autant que Stephen désirait toucher les siennes.

Sauf que ça ne pouvait pas être ça.

Ou alors si ?

Sa mère fut fière d'ouvrir la boîte à gâteau et sourit en apercevant le contenu.

— Oh, regardez ce que vous m'avez acheté. Merci.

— Il y a erreur.

Les yeux de Jamie étincelaient.

— Regardez ce que nous avons *fait*.

Stephen fronça les sourcils.

— Nous ?

— Hé, je t'ai aidé. J'ai…

Jamie se figea.

— Qu'allais-tu dire ?

Stephen lui jeta un regard d'avertissement.

— Oh, rien. J'espère que vous aimez le glaçage au chocolat, ajouta Jamie en souriant.

— J'adore le glaçage au chocolat. Le père de Stephen dit qu'il ne serait pas surpris de me voir en manger un bol entier à moi toute seule.

— Eh bien, c'est une bonne chose, parce qu'il y en a beaucoup sur le gâteau.

Le regard de Jamie se tourna vers Stephen.

— Dans certains endroits plus que d'autres.

Je vais lui botter le cul lorsque nous serons rentrés à la maison. Au sens figuré.

— Alors pourquoi ne pas le couper et en manger une part avec du café ? suggéra sa mère. Vous restez pour le gâteau, n'est-ce pas ?

Stephen lui adressa un large sourire.

— Bien sûr que oui. C'est votre anniversaire.

Son père entra à ce moment-là dans la cuisine.

— Ça a l'air délicieux. Je suis toujours prêt pour une part de gâteau.

Ce fut au tour de sa mère de froncer les sourcils.

— Imagine ça.

Stephen fit de son mieux pour ne pas rire.

— Je suis vraiment impressionné, Stephen. Je ne savais pas que tu savais pâtisser.

Sa mère souleva soigneusement le gâteau, utilisant le papier à pâtisserie que Jamie avait soigneusement placé dessous.

— C'était intelligent, murmura-t-elle en posant le gâteau sur une assiette.

Jamie ouvrit la bouche, mais Stephen lui jeta un autre regard. Son meilleur ami mima promptement le geste de verrouiller ses lèvres. Sa mère posa le couteau contre la surface glacée, et Stephen retint son souffle. Elle le découpa et en écarta une première part.

— Ah ah.

Sa mère le regarda par-dessus ses lunettes en retenant clairement son sourire. Il toussota.

— Nous avons rencontré un peu de difficultés, avoua-t-il.

— Nous ?

Jamie l'observa fixement. Sa mère éclata de rire.

— Oh, vous deux. Ça me ramène en arrière, lorsque vous vous bagarriez.

Elle sourit.

— Je suis certaine qu'il sera délicieux. Il y a des assiettes dans le buffet, dans la salle à manger, si tu peux aller les chercher.

Jamie fit pivoter son fauteuil en un cercle pour se diriger dans la bonne direction, mais sa mère l'en empêcha.

— Oh, je ne parlais pas de toi, mon cœur. Stephen peut y aller.

Jamie fronça les sourcils.

— Je sais où se trouve la salle à manger. Et le buffet. Nous avons mangé là-bas, vous vous souvenez ?

— Oui, mais Stephen peut le faire.

Stephen pressa l'épaule de Jamie en passant devant lui. Il détestait que ses parents soient incapables de voir comment leur attitude pouvait blesser son ami. Comment pouvaient-ils ne pas voir à quel point il était capable de se débrouiller tout seul ?

Puis il réfléchit à ses propres idées préconçues, ce premier jour à l'étang. Sa surprise quant au fait que Jamie soit capable de conduire. L'hypothèse qu'il avait dressée quant au fait que Jamie ne pouvait vivre seul et qu'il avait besoin de quelqu'un pour l'aider.

J'étais aussi mauvais que ma mère. Je l'ai sous-estimé.

Stephen était pratiquement certain que Jamie était capable de faire tout ce qu'il voulait. Sauf pour certaines activités qui n'étaient plus physiquement possibles, malheureusement. Non pas que Jamie serait intéressé.

Puis il reconsidéra les choses.

Pour quelqu'un qui n'est prétendument pas intéressé par le sexe, comment se fait-il qu'il prête autant d'attention à mon cul ?

— Est-ce que tu dessines et peins encore, Jamie ? demanda le père de Stephen, récoltant en retour un regard sévère de sa femme pour avoir osé parler la bouche pleine.

— Oui, monsieur. J'aime me rendre dans divers endroits et faire des croquis durant les week-ends.

Jamie observa Stephen.

— C'est même de cette manière que nous nous sommes rencontrés.

— J'avais l'habitude de penser que tu étais devenu un peintre célèbre, déclara sa mère en tapotant les coins de sa bouche avec une serviette.

— Parce que Stephen…

Stephen ricana.

— Je ne pense pas qu'il y ait une once d'artistique dans mon corps.

— Bien sûr que non, murmura Jamie. Qui a déjà entendu parler d'un comptable ayant la fibre artistique ? C'est comme avoir un…

— Oui, je suis à peu près certain que tu peux trouver une autre combinaison tout aussi inédite, mais ne le fais pas, d'accord ? le prévint Stephen.

— Est-ce que tu as suivi des cours d'art ? lui demanda son père.

— Non, monsieur. Je suppose que l'art m'est venu naturellement. J'ai déjà assisté à un cours de dessin. C'était très amusant.

Il posa sa fourchette sur son assiette vide.

— Vous savez, vous vous en êtes bien tiré. Ça avait meilleur goût que ça en avait l'air.

Stephen leva les yeux au ciel.

— Merci.

— Non, vraiment, c'était bon, lui sourit Jamie.

— Surtout le glaçage. Si c'était ta première tentative de glaçage, tu t'en es très bien tiré.

À en juger par le regard étréci de Stephen, Jamie allait avoir des ennuis lorsqu'il rentrerait.

— Des cours de dessin ? demanda sa mère en plissant le front. Tu veux dire, comme des natures mortes ?

Jamie sourit.

— Non, Madame. Des nus.

Il adorait la façon dont elle écarquilla les yeux.

— Des gens qui s'asseyent sans vêtements, pour que vous puissiez les dessiner ?

— Ou les peindre. Moi et toute une pièce remplie d'autres artistes.

Jamie soupira lourdement.

— Mais ils ont perdu leur financement et les cours ont été annulés. C'est dommage.

Il jeta brièvement un coup d'œil vers Stephen avant de s'adresser à ses parents.

— Un de ces jours, j'aimerais beaucoup reprendre des cours.

— Qui pouvaient-ils trouver comme modèle pour quelque chose comme ça ? murmura sa mère.

— Il y avait toutes sortes de bénévoles, et de toutes les formes et tailles possibles. Je me souviens d'un gars qui portait des lunettes de natation et des palmes.

Sa mère cligna des yeux.

— Des palmes ? Comme celles que l'on porte pour aller nager dans l'océan ?

Lorsque Jamie hocha la tête, elle secoua la sienne.

— Il en faut pour tous les goûts, je suppose.

Jamie n'écoutait plus vraiment à ce moment-là. Il était aux prises avec une idée brillante.

Il regarda Stephen.

Je pense qu'il est temps pour moi de faire quelques croquis.

— Qu'est-ce que tu fais ? lui demanda brusquement son meilleur ami.

— Moi ?

Jamie ouvrit grand les yeux.

— Je te regarde.

— Oui. Et c'est ce que tu envisages qui m'inquiète.

Jamie se contenta de sourire.

Ne t'inquiète pas. Tu le découvriras bien assez tôt.

Maintenant, tout ce qu'il avait à faire était d'obtenir l'accord de Stephen.

Chapitre 16

Stephen observa la pluie à travers la fenêtre.

— Eh bien, tant pis pour mon idée.

Il ne faisait pas attention à l'eau lorsqu'il s'agissait d'une douche, mais ça... par l'enfer, même les canards ne s'aventureraient pas dehors aujourd'hui.

— Quoi de neuf ? lui demanda Jamie en entrant dans le salon.

— Quand je me suis réveillé ce matin, j'ai eu la brillante idée de suggérer que nous allions à Horn Pond, jusqu'à ce que je regarde par la fenêtre. La dernière fois que j'y étais, je n'ai pas eu l'occasion d'en faire le tour.

— Et c'est ma faute, c'est ça ? plaisanta Jamie. OK, alors faisons autre chose !

Stephen renifla.

— Tant que ce n'est pas un autre gâteau.

— Hé, il était délicieux. Ta mère a adoré.

Stephen ouvrit grand les yeux.

— C'était un désastre.

— D'accord, mais c'était un délicieux désastre, monsieur je-vois-le-verre-toujours-à-moitié-vide.

Jamie l'observa attentivement.

— J'ai aussi eu une idée de ce que je voulais faire aujourd'hui, mais ça impliquerait….

— Je sens que je vais le regretter, mais vas-y, dis-le-moi.

— Est-ce que je peux dessiner ton portrait ?

Stephen le regarda fixement.

— Sérieusement ? Pourquoi voudrais-tu faire ça ?

Jamie leva les yeux au ciel.

— J'ai vraiment envie de dessiner. Et il n'y a personne d'autre ici. S'il te plaît ?

Il papillonna des cils.

— Arrête avec tes yeux de biche, déclara Stephen en examinant sa proposition. Est-ce que je devrai poser comme une statue ? Parce que je ne pense pas pouvoir rester assis aussi immobile que l'est le lion dans le parc.

Jamie ricana.

— Tu peux bouger, abruti. N'agite simplement pas tes bras autour de toi.

Son regard pétilla.

— Mon dessin finirait par être entièrement flou.

— D'accord, je vais le faire, répondit-il en souriant. Comment veux-tu que je m'y prenne ? Est-ce que ces vêtements feront l'affaire ?

Jamie soupira.

— Je vais me concentrer sur ton visage, donc ce que tu portes n'a pas d'importance. Laisse-moi aller chercher mon carnet à croquis et mes crayons.

Il sortit alors de la pièce. Stephen sourit. Il était curieux de voir comment toute cette histoire allait se terminer.

— Oh mon Dieu !

Il se dirigea rapidement vers la chambre de Jamie.

— Ça va ? demanda-t-il.

Lorsqu'il arriva, Jamie contemplait son téléphone en souriant.

— Attends de voir ce que ma mère m'a envoyé. Elle a trouvé une photo de nous. Nous devions avoir neuf ou dix ans.

Il tendit le portable pour que Stephen puisse voir.

— Regarde ça.

Stephen observa l'écran.

— Oh purée !

Cette photo avait été prise à Halloween, tous deux posaient devant la porte d'entrée de la maison de Jamie.

— J'avais oublié, déclara-t-il. Je faisais un très bon Han Solo, tu ne trouves pas ?

Puis il ricana.

— Et tu faisais une merveilleuse Leia.

Il jeta un coup d'œil vers Jamie.

— Tu m'as dit que tu avais quel âge lorsque tu t'es rendu compte que tu étais gay ?

Jamie le frappa avec son carnet de croquis.

— Hé, je suis gay, pas travesti. Et ravive-moi la mémoire… Comment se fait-il que ce soit moi qui aie fini en princesse Leia ?

— J'étais trop grand pour le costume, tu te souviens ?

Il secoua la tête. Ça avait été des jours heureux.

— Allez, je suis prêt.

Jamie tapota le carnet de croquis.

— Tu peux aller t'asseoir sur le canapé, au moins, tu seras à l'aise. Je vais rester dans mon fauteuil.

Stephen le suivit dans le salon et s'allongea sur le canapé. Il prit une pause dramatique, les jambes en l'air.

— Comme ça, c'est bon ?

Jamie ricana.

— C'est horrible. Assieds-toi.

Il suivit les instructions.

— Sérieusement, comment veux-tu que je m'installe ?

Jamie l'observa pendant un moment, puis décida de se laisser aller à lui donner des directives.

— D'accord, tu peux t'allonger, la tête sur les coussins, le visage tourné vers moi. Autant te mettre à l'aise.

Stephen s'allongea, puis se détendit.

— Comme ça ?

— Parfait.

Jamie ouvrit son carnet.

— Ne t'endors pas, d'accord ?

Stephen paraissait bouche bée.

— Combien de temps cela va-t-il prendre ?

— Oh, je devrais avoir terminé pour l'heure du dîner.

Les yeux de Jamie brillaient d'humour.

— Détends-toi, d'accord ? Tu peux parler, mais essaie de ne pas t'agiter.

Stephen soupira.

— Je ne pense pas avoir la patience nécessaire.

Jamie croisa son regard.

— Tout homme capable de regarder la trilogie du Seigneur des Anneaux en un jour est capable de faire preuve d'une grande patience, crois-moi.

— Hé, tu as dit que je pouvais choisir ce que nous regardions !

Jamie lui sourit.

— Une décision que j'ai amèrement regrettée plus tard. Maintenant, arrête de bouger.

Stephen s'exécuta, et Jamie lui intima l'ordre d'arrêter de parler.

Si je dois finir par ressembler à Pennywise, je vais le tuer.

Stephen s'étira, heureux d'avoir la chance de se mouvoir. Il était resté sur le canapé pendant des heures, et il devait admettre que ça avait été agréable. Ils avaient parlé du lycée la plupart du temps, ce dont il était reconnaissant. Il avait partagé suffisamment de sa vie personnelle, et n'avait aucun désir de s'entretenir davantage sur le sujet. Le lycée était en quelque sorte un sujet neutre.

— De toute évidence, tu es habitué à faire plein de choses en même temps, commenta Stephen. Vu que tu arrives à dessiner et parler en même temps.

— Mon cerveau fonctionne de manière féminine, murmura Jamie.

— Excuse-moi ?

Il croisa son regard.

— J'ai lu une fois que les femmes sont meilleures pour faire plusieurs choses en même temps, en raison de la façon dont leur cerveau fonctionne. Je suppose donc que mon cerveau fonctionne davantage comme celui d'une femme.

— Possible, le taquina Stephen. Moi, je suis obligé d'éteindre la radio lorsque j'essaie de me garer.

Jamie éclata de rire.

— Tu as un cerveau très masculin.

Il posa son crayon.

— Tu veux voir ?

Stephen se leva du canapé avec l'impression que son derrière était en feu.

— Bien sûr.

Il prit le bloc-notes des mains de Jamie et l'observa.

— Oh… Oh ! Oh !

Jamie avait parfaitement saisi son visage, sauf que…

— Est-ce que c'est un bon « oh » ?

Stephen fixa le magnifique croquis.

— C'est… c'est moi, mais ce n'est pas tout à fait moi.

Jamie ricana.

— D'accord, c'est tout à fait logique.

Il avait du mal à exprimer ses sentiments.

— Tu y as ajouté quelque chose, mais je ne suis pas certain de savoir ce que c'est.

Il croisa son regard.

— Est-ce vraiment comme ça que tu me vois ?

— Tu n'aimes pas.

Stephen secoua la tête.

— Non, ce n'est pas ça.

Pourquoi était-ce si difficile ?

— Tu m'as fait paraître mieux que je ne le suis en réalité.

Jamie cligna des yeux.

— Mais c'est ainsi que je te vois.

Il sourit.

— J'aimerais que d'autres hommes me perçoivent de la même manière.

Jamie ricana.

— Tu aurais dû voir certaines des peintures et des croquis à ce cours de dessin. Certains... il était difficile de croire que nous dessinions tous le même modèle.

Stephen le contempla attentivement.

— Tu as vraiment suivi ces cours ? Je pensais que c'était quelque chose que tu avais inventé pour ma mère.

Il lui sourit.

— Bien sûr que j'y suis allé.

— Mais... n'était-ce pas bizarre ?

Jamie fronça les sourcils.

— Pourquoi est-ce que ce serait bizarre ? Aucun des modèles n'avait deux queues ou trois mamelons, ni même de seconde tête.

— Oui, mais… voir des gens nus…

Jamie soupira.

— Le but de ces cours était d'améliorer notre technique. C'était un peu… clinique. Ce n'est pas comme si j'étais excité en regardant un homme nu qui portait des lunettes de natation et des palmes.

Son regard s'écarquilla.

— Oh, je comprends. Tu serais nerveux à l'idée de faire quelque chose comme ça.

— Non, répondit Stephen.

— Ah oui ? Prouve-le, répliqua Jamie en souriant. Je te mets au défi.

Putain ! Il s'est senti obligé de le dire, pas vrai ?

Stephen n'allait certainement pas le laisser gagner. Il dressa le menton et croisa le regard amusé de Jamie.

— Comment veux-tu que je m'installe ?

Il retira son pull, puis se débarrassa de son pantalon tout aussi rapidement, avant d'avoir le temps de changer d'avis. Lorsque tout ce qui resta fut son caleçon, il s'arrêta, se tenant maladroitement debout, les mains sur ses flancs.

— Tu es sérieux.

Les yeux de Jamie étaient écarquillés. Puis, il sourit en regardant le corps de Stephen.

— Apparemment non. Tu as toujours la frousse, pas vrai ?

Stephen renifla.

— Tu aimerais bien.

Puis il prit une profonde inspiration, saisit

l'élastique de son caleçon, et le repoussa le long de ses jambes, avant de le jeter de côté aussi nonchalamment que possible. Il se redressa et replaça légèrement son sexe. Heureusement, Jamie ne fit aucun commentaire à ce sujet.

— Allonge-toi sur le canapé, lui ordonna-t-il.

Stephen s'exécuta puis obtempéra lorsque Jamie lui demanda de plier sa jambe, de glisser un bras derrière sa tête, et d'incliner son visage pour… les instructions l'aidèrent à se calmer et à se concentrer. Lorsque Jamie fut satisfait, il récupéra son crayon et commença à dessiner.

— Est-ce que tu vas bien ?

Stephen laissa échapper un rire nerveux.

— Eh bien, je ne l'avais pas vu venir.

— Il n'y a personne qui va *venir*, tu entends ?!

Les yeux de Jamie brillèrent de malice.

— Parce que si ne serait-ce qu'une goutte atterrit sur mon carnet de croquis, tu vas détruire mon dessin.

Stephen retint son souffle, avant d'éclater de rire.

— Je n'arrive pas à croire que tu viens de dire ça.

— Mais ça t'a fait rire, pas vrai ? Maintenant ne bouge plus.

Stephen inspira profondément, puis se détendit. Il lui fallut quelques minutes pour réaliser que ce n'était pas très différent du moment où Jamie avait dessiné son visage. Il se souvint alors du commentaire de Jamie qui disait qu'il dessinait de manière clinique, et cela l'aida à se détendre entièrement.

— Je n'aurai jamais pensé faire un truc pareil !

Toutefois, il devait admettre que c'était libérateur. Il était allongé, entièrement nu, sur le canapé, la pluie frappait les carreaux, et le crayon de Jamie survolait son bloc-notes.

Au vu de son portrait, Stephen avait hâte de voir ce croquis.

— C'est une joie de te dessiner, murmura Jamie en levant les yeux de son dessin.

Il avait déjà travaillé sur trois ou quatre feuilles, et les avait retirées du bloc-notes pour pouvoir travailler sur une autre.

— Je parie que tu dis ça à tous tes modèles, le taquina Stephen.

Cependant, il ne pouvait nier que le commentaire de Jamie l'aida à se sentir bien. Son estomac se crispa, appréciant la façon dont ce dernier le contemplait.

— Lève un peu la tête, lui demanda-t-il.

Lorsque Stephen s'exécuta, il sourit.

— C'est bon. J'adore les lignes de ton corps, la courbe de ton bras.

— Ça ne semble pas très clinique, lui fit remarquer Stephen.

Non pas qu'un tel commentaire le dérangeait. D'autant plus que les yeux de Jamie étaient emplis de chaleur en cet instant.

— C'est dur de rester clinique lorsque je te regarde.

Ses lèvres tremblèrent.

— Et en parlant de dur…

Stephen n'avait pas besoin de regarder vers le bas pour savoir qu'il avait actuellement une érection. Ses joues rougirent.

— Désolé.

— Tu n'as pas à t'excuser.

Jamie baissa les yeux.

— Tu as une belle queue.

— Tu trouves ?

Stephen désirait savoir si c'était Jamie l'artiste qui parlait où Jamie l'homme gay. Ce dernier hocha la tête.

— J'aime la façon dont elle se courbe. Elle est si épaisse, si longue.

Il ancra son regard dans celui de Stephen.

— Tu es magnifique.

Stephen déglutit, à court de mots. Jamie inclina la tête.

— Personne ne t'a jamais dit ça ?

— Peut-être une fois ou deux, habituellement la première fois que nous...

Il ne désirait pas y penser, parce que lorsque les compliments avaient cessé, d'autres choses avaient commencé...

— Si tu étais mon homme, je te le dirais tous les jours. Je te dirais combien j'aime ton torse large, tes bras, la courbe de tes cuisses...

Jamie secoua la tête en souriant.

— Et je sais qu'une partie de toi aime évidemment cette idée.

Stephen se devait de relever le regard. Sa verge pointait vers le plafond. Il redressa le menton et plongea ses yeux dans ceux de Jamie.

— Ça ne te dérange pas ?

— Pourquoi est-ce que ça me dérangerait ? De

toute évidence, ce n'est pas le cas. C'est ainsi que les choses devraient se passer entre un artiste et son modèle.

Stephen prit une grande inspiration.

— Tu ne me parles pas comme si j'étais un simple modèle.

Jamie lui sourit.

— Ce n'est pas comme si c'était la première fois que je te voyais nu.

Il cligna des yeux.

— Quoi ?

— Bien sûr. Tu as oublié ? La maison de ta grand-mère en Floride ? Nous nous sommes baignés dans sa piscine. Un soir. Il faisait tellement chaud. Heureusement, personne ne nous a découverts.

Une pause.

— Lève un peu la tête, lui demanda Jamie.

Stephen ricana.

— Je pense que nous avions l'air très différents à l'époque.

Jamie sourit.

— Crois-moi. Tu t'es amélioré avec l'âge. De plus, tu as grandi. De partout.

Il jeta un autre regard pas très subtil vers son entrejambe. Stephen sourit, exécutant un infime mouvement des hanches en direction de Jamie, sa queue pointant directement sur lui.

Jamie ouvrit les lèvres.

— Oui. Tu as certainement une belle bite.

Puis, il posa son crayon.

— Je pense que nous avons terminé.

Stephen récupéra son jean et l'enfila, le laissant déboutonné.

— Laisse-moi voir.

Il se rendit près de l'endroit où Jamie avait placé les feuilles de papier sur la table basse, et alors qu'il les contemplait, sa gorge se serra.

Jamie avait réalisé une série de croquis, un de sa tête et de ses épaules, un autre de son torse, du cou à ses poils pubiens, et encore un autre de ses jambes. Mais celui qui attira son regard fut un dessin bien détaillé de son sexe, qui en capturait chaque détail, même la veine qui courait le long de sa longueur et la façon dont ses poils s'enroulaient autour de sa base, l'éclat de son gland…

Stephen laissa échapper un rire nerveux.

— Waouh. C'est facile de voir quelle partie a attiré ton attention.

Jamie sourit.

— Eh bien, tu t'attendais à quoi en me fournissant un matériel comme celui-là sur lequel travailler ?

Il rassembla ses feuilles.

— Que vas-tu en faire ?

— Je vais les faire encadrer et les installer dans le salon.

Lorsque Stephen haleta, il éclata de rire.

— C'est tellement facile. Arrête de paniquer. Je vais les mettre sur le mur de ma chambre.

— Pourquoi… pourquoi voudrais-tu faire ça ?

Stephen ne savait pas ce qu'il ressentait à l'idée que Jamie puisse contempler son corps nu jour après jour.

— Pour pouvoir te regarder, répondit Jamie en croisant son regard.

Cela fit naître un frisson le long de sa colonne vertébrale. Jamie jeta alors un coup d'œil à son entrejambe.

— Si tu veux te promener dans la maison toute la journée comme ça, je ne m'en plaindrai pas !

Stephen jeta un coup d'œil à l'endroit où son pantalon était ouvert, révélant la naissance de ses poils pubiens. Il referma la fermeture éclair à la hâte, et Jamie soupira.

— J'aurais mieux fait de me taire.

Stephen n'arrivait pas à savoir comment réagir. Jamie le déconcertait. Son téléphone sonna pour annoncer l'arrivée d'un message et il s'en saisit, reconnaissant pour cette interruption. Il ne reconnaissait ni le numéro ni le nom.

Salut. Je m'appelle Trey. Carl m'a dit de venir te voir quand je me rendrais à Boston.

Stephen se figea. Pourquoi son ex avait-il dit à quelqu'un de venir le trouver ? Un autre texto arriva alors :

Il m'a parlé de toi. J'ai hâte de découvrir si tout est vrai…

Stephen n'en eut pas besoin de plus pour éteindre son portable et le jeter sur le canapé, comme s'il lui brûlait les doigts.

— Est-ce que ça va ?!

La préoccupation de Jamie était évidente.

— Je vais bien.

Stephen se força à sourire, quand bien même cela sonnait faux.

— Est-ce que le mannequinat peut être épuisant ? Parce que je crois que le fait d'être resté immobile pendant si longtemps m'a terriblement fatigué.

C'était la seule excuse qu'il avait pu trouver pour pouvoir quitter la pièce.

— Peut-être que tu as besoin de faire une sieste, lui suggéra Jamie.

Il hocha la tête avec impatience.

— Je pense que tu as raison. Je vais aller m'allonger pendant une heure.

Sans rien ajouter de plus il quitta le salon, entra dans sa chambre et referma la porte derrière lui. Il s'allongea sur le lit et regarda le plafond, les mains nouées derrière la tête. Stephen ne pouvait qu'imaginer ce que Carl avait raconté à son pote, et il était prêt à parier que Trey sortait tout droit du même moule que cet enculé. Non pas que Stephen ait l'intention de faire quoi que ce soit avec lui.

Est-ce que quelque chose chez moi attire ce genre d'hommes ?

Comme une faille que seuls les trous du cul abusifs pouvaient sentir et qui les attirait à lui, comme des mites devant à une flamme. Une faiblesse qui leur donnait envie de foncer et de l'exploiter.

Il repoussa de telles pensées. Ça ne servait qu'à lui faire du mal. Ce qui fit naître en lui un intense sentiment de culpabilité au sujet de ce qui venait juste d'arriver.

Comment puis-je agir comme ça ?

Il savait pertinemment qu'il venait de flirter, mais uniquement parce que Jamie en avait fait autant. Flirter ? C'était bien plus que ça. Les remarques de

Jamie l'avaient échauffé et troublé, et il était toujours confus à l'heure actuelle.

Pourquoi voudrait-il flirter avec moi ? Ce n'est pas comme si nous allions faire quoi que ce soit, n'est-ce pas ?

Cette pensée lui fila la nausée. C'était comme s'il mentait à Jamie.

Jamie ne voudrait jamais d'un homme comme moi.

Pourquoi le ferait-il ? Supposons par miracle que nous puissions faire en sorte que cela fonctionne... pourquoi désirerait-il ça ? Et même si c'était le cas, qui pourrait m'assurer que je ne gâcherais pas tout ?

Parce que son passé n'était fait que de relations qui échouaient.

Et le blâme pour certains de ses échecs devait sûrement lui revenir.

Chapitre 17

Jamie gribouillait des notes sur un carnet à côté de son bol de céréales, s'arrêtant de temps en temps pour manger et boire son café. Le lundi matin, il planifiait sa semaine. Il entendit Stephen s'agiter et fronça les sourcils. La façon dont il avait quitté la pièce si précipitamment l'après-midi précédant... et la manière dont il était resté calme pour le restant de la soirée aussi le perturbait.

Est-ce que j'ai trop poussé hier ?

Jamie n'avait pas perçu les choses de cette façon. En réalité, Stephen avait semblé être détendu très rapidement. Jamie ne parvenait toujours pas à croire qu'il avait accepté. Quel magnifique modèle !

Jamie était allé se coucher cette nuit-là et était resté à observer les croquis pendant qu'il se caressait. Il savait pertinemment que son érection n'avait rien à voir avec ce qui se passait dans sa tête et tout à voir avec sa main, mais il se sentait quand même bien.

On a le droit de rêver, non ?

Et il avait rêvé cette nuit-là : de s'endormir dans les bras de Stephen, de partager de nombreux baisers, des mains de Stephen le caressant, le faisant durcir.

Est-ce que j'ai été trop subtil ?

Si Jamie était allé au bout de ce flirt évident, il n'aurait eu aucun doute quant à ses intentions. Mais Stephen ne l'avait pas pris au mot.

— Bonjour.

Stephen entra dans la cuisine, vêtu de son costume. Jamie adorait le voir là-dedans.

Voyons les choses en face. Il aurait l'air tout aussi magnifique dans un sac en toile de jute.

— Prêt pour une nouvelle semaine ? Impatient d'y aller ? le taquina Jamie.

Stephen n'était vraiment pas une personne du matin. Il se contenta de lui jeter un coup d'œil, puis se mit à étaler du fromage sur un bagel.

— J'ai réfléchi, commença Jamie en observant ses notes. Je pourrai bientôt prendre de courtes vacances. Il y a un trou dans mon emploi du temps, et je n'arrive même pas à me souvenir de la dernière fois que j'ai pris des congés.

Stephen hocha la tête.

— C'est une bonne idée.

Jamie attendit, mais quand rien d'autre n'arriva, il lui tendit sa tasse.

— Peux-tu m'en servir un autre pendant que tu es là-bas ?

Il ferait n'importe quoi pour forcer Stephen à parler.

— Bien sûr.

Stephen s'exécuta. Ce que Jamie voulait faire, c'était lui demander de venir avec lui. Bien sûr, il avait du travail, mais il pouvait tout aussi bien prendre des vacances, non ?

— Je sais que je t'ai parlé de skier, mais ça ne sera

possible qu'après le Nouvel An.

Il regarda son meilleur ami.

— Quand as-tu pris tes dernières vacances ?

Stephen sourit.

— Je vivais à San Diego, tu te souviens ? La plage se trouvait juste devant ma porte. Je pouvais aller surfer et me baigner tous les week-ends.

— Est-ce que tu l'as fait ?

Stephen soupira.

— Oui. J'adorais aller voir Marie et ses enfants. On passait des journées entières sur la plage.

Voilà ce qu'il attendait justement. Jamie allait pouvoir lui demander de venir avec lui. Il avait travaillé d'arrache-pied depuis son déménagement à Boston. Son père ne lui en voudrait pas de prendre une semaine de congés, pas vrai ? En plus, l'idée de passer des vacances relaxantes dans un endroit chaud le ravissait.

Un endroit suffisamment chaud pour que je puisse le forcer à porter un minuscule short.

Miam.

— Moi aussi, j'ai réfléchi, déclara Stephen en se dirigeant vers la table, tout en portant les deux tasses.

Il se retourna pour aller chercher son bagel et se joignit à lui.

— Peut-être que je devrais commencer à chercher un endroit où vivre.

Jamie se figea.

— Oh ?

Son cœur se serra. Il avait eu l'impression que Stephen allait partager son quotidien un peu plus longtemps. Très peu de temps s'était écoulé depuis qu'il avait emménagé.

— Oui. Je ne peux pas vivre éternellement ici, pas vrai ?

Stephen lui adressa un demi-sourire qui n'atteignit pas ses yeux.

Pourquoi pas ?

Ces paroles brûlaient les lèvres de Jamie.

— Quand penses-tu commencer tes recherches ?

— Je ne sais pas vraiment, répondit Stephen. Je comptais jeter un coup d'œil en ligne pendant ma pause déjeuner aujourd'hui et prendre des rendez-vous cette semaine. Peut-être après le travail.

Merde, il est vraiment sérieux.

— Ça te dérange si je t'accompagne ?

Stephen cligna des yeux.

— En réalité, j'allais te demander si tu voulais le faire. J'apprécierais ton opinion. De plus, si mon meilleur ami déteste mon appartement, il est peu probable qu'il vienne me voir, pas vrai ?

— Alors j'aurai le droit de venir ?

— Bien sûr !

Le sourire de Stephen était désormais plus sincère.

— Je vais commencer à chercher aujourd'hui.

Il avala une grosse bouchée de son bagel et observa son téléphone.

Devrais-je être reconnaissant qu'il souhaite me garder dans sa vie ?

Jamie savait une chose. Il ne voulait pas que Stephen s'en aille.

Qu'est-ce que j'ai fait mal ?

Sa positivité habituelle l'abandonna pendant un moment, et il se creusa la cervelle pour avoir une idée précise de ce qu'il avait pu faire pour conduire à une décision aussi radicale.

La seule chose à laquelle il put penser fut le croquis de nu. Il avait fait exprès de rendre évident qu'il était intéressé, et Stephen s'était enfui. Peut-être que Jamie n'entrevoyait pas la situation correctement, mais à ce moment-là, il était dans un état lamentable. Ce dont il avait besoin, c'était de bons conseils.

Et il savait exactement à qui les demander.

— Veux-tu bien me dire pourquoi je suis ici ? Pendant ma pause déjeuner ?

Liz lui sourit.

— Non pas que je refuserais un thé moussant et un fro-yo à la Coco.

Le yogourt glacé au caramel salé de Jamie était délicieux, pourtant il y avait à peine touché. Il fit retomber sa cuillère et posa ses mains sur la table.

— Est-ce que je suis moche ?

Sa sœur cligna des yeux.

— Je te demande pardon ?

— Ma question est sérieuse. Est-ce que je suis laid ? Ça va. Tu peux me le dire si c'est le cas. Je ne suis pas un petit flocon de neige. Je peux accepter les critiques.

Il redressa le menton. Liz se mordit la lèvre.

— Frangin, tu es mignon. Tu es vraiment un beau garçon.

Elle pencha la tête de côté.

— Est-ce que ça te fait te sentir mieux ?

Il ignora sa question.

— Alors, est-ce que je suis ennuyeux ?

Liz posa à son tour sa cuillère et prit son menton entre ses doigts.

— D'accord, que se passe-t-il ?

Il soupira.

— J'essaie de trouver les raisons pour lesquelles Stephen ne voudrait pas sortir avec moi.

Elle l'observa attentivement.

— Eh bien… sait-il que tu es intéressé ?

Elle le relâcha et tendit sa main pour s'emparer de son thé. Jamie ouvrit la bouche.

— Oh, je comprends maintenant. Je suis trop subtil. J'ai besoin d'un panneau qui dit : prends-moi, je suis à toi.

Il haussa les épaules.

— Je pensais qu'il me suffisait de dessiner un portrait détaillé de sa queue pour qu'il puisse y voir clair.

Liz recracha une gorgée de son thé sur la table. Jamie lui tendit ses serviettes, et elle s'empressa d'essuyer son désordre. Lorsqu'elle eut terminé, elle croisa son regard.

— Tu l'as dessiné nu ?

Jamie hocha la tête, ses lèvres tremblaient.

— À quoi ressemble son sexe ?

Jamie afficha une expression d'horreur.

— Tu ne devrais pas poser de telles questions.

— Pourquoi pas ? Je veux savoir.

Elle se pencha plus près.

— Eh bien ? Est-il… gros ?

Jamie imita son langage corporel.

— Le simple fait de le regarder m'a fait saliver.

Liz dut se forcer à tousser pour ne pas s'étouffer.

— D'accord, dit-elle en s'essuyant les lèvres. C'était plus d'informations que nécessaire.

Elle se renfonça dans sa chaise et le sermonna.

— Tu devrais avoir honte.

— De quoi ?

Jamie la fixa avec perplexité.

— De supposer qu'il y a quelque chose qui ne va pas chez toi. Si Stephen ne veut pas sortir avec toi, c'est à cause de quelque chose sur lequel il doit travailler, pas à propos de toi. Parce que n'importe quel homme vivant serait sacrément chanceux de sortir avec toi.

— N'importe quel homme vivant ?

Jamie sourit.

— Je dois donc commencer à regarder du côté des cadavres.

— Je suis sérieuse !

Sa sœur cligna des yeux.

— Mon conseil c'est qu'il faut que tu parles avec Stephen. Je pense toujours que vous êtes faits l'un pour l'autre. Je crois en revanche qu'il a besoin de lunettes, puisqu'il ne voit pas que tu es juste sous son nez.

Elle secoua la tête.

— Je ne peux pas croire que tu l'as forcé à poser pour toi. Bon sang, tu dois avoir des capacités particulières.

Elle ricana.

— Maintenant, utilise-les à nouveau sur Stephen.

Il soupira.

— Je dois le rejoindre dans une maison qu'il va visiter après son travail.

— Une maison ?

— Oui, une qu'il envisage d'acheter, déclara-t-il à la légère, même si son cœur se brisa à cette idée. Je dois le retrouver là-bas pour lui donner mon avis.

Liz pinça les lèvres.

— À quoi est-ce que tu penses ?

Elle fronça les sourcils.

— Je pense que j'aimerais bien lui donner mon opinion. Lui dire de rester là où il est et de sortir avec mon frère.

Jamie s'empara de sa main de l'autre côté de la table et la serra.

— Je suis content de t'avoir de mon côté.

— Toujours.

Il récupéra sa main.

— Maintenant, termine de manger. Ta pause est presque terminée.

Lorsque Liz récupéra son manteau et son sac à main, elle lui jeta un regard rassurant.

— Il ne sera pas comme tous les autres. Je peux le sentir.

Jamie espérait bien que non. Il n'était pas certain de pouvoir survivre à une telle déception. Pas venant de la part de Stephen.

L'agent immobilier adressa un large sourire à Stephen.

— Je serai dans ma voiture lorsque vous aurez terminé. Vous savez, pour vous donner à tous les deux le temps de discuter de la propriété.

Son regard vacilla dans la direction de Jamie, les regardant à la fois lui et son fauteuil roulant, puis elle les abandonna au milieu du grand salon vide.

Au moins, elle s'était adressée à lui. Certaines personnes agissaient comme si Jamie était invisible. Ce dernier se mordit la lèvre.

— Tu penses à ce que je pense ?

Stephen fronça les sourcils.

— À quoi est-ce que tu penses ?

— À ce qu'elle vient de sous-entendre en disant qu'elle comptait nous laisser du temps à tous les deux.

Jamie sourit.

— Elle pense que nous sommes en couple. De toute évidence, nous sommes à la recherche d'une maison pour notre futur nid d'amour.

Stephen se cogna la tête dans la porte qu'elle venait d'utiliser pour sortir.

— Sérieusement ?

Il ne semblait pas trouver ce concept amusant, alors Jamie changea rapidement de sujet.

— D'accord, qu'en penses-tu ? Personnellement, j'aime bien le quartier. Il y a beaucoup d'arbres, les rues sont calmes, et je n'ai pas entendu un seul coup de feu depuis notre arrivée. À moins qu'elle n'ait soudoyé tous les trafiquants de drogue pour qu'ils restent calmes jusqu'à ce que nous partions. Ce qui est une possibilité dans cette ville.

Stephen leva les yeux au ciel.

— Mon Dieu, tu racontes n'importe quoi, tête de nœud.

Il sourit.

— C'est mon travail, pas vrai ? Mais sérieusement… que penses-tu de cet endroit ?

Il pouvait très bien imaginer Stephen y vivre. La cour arrière n'était pas très grande, pourtant il imaginait que Stephen embaucherait quelqu'un pour s'en occuper, tandis qu'il s'assurerait qu'il bénéficie de suffisamment d'espace pour pouvoir y entreposer un barbecue et une chaise longue.

Stephen soupira.

— Non, ça ne convient pas.

— Pourquoi ?

Jamie n'avait rien vu qui ne convenait pas, à moins que Stephen ait déjà une idée précise de ce qu'il voulait.

— Eh bien, tu n'as qu'à y réfléchir pendant une seconde pour te rendre compte que ça ne suffira pas.

J'ai dû t'aider à franchir trois étapes, pour commencer. Les portes ne sont pas assez larges parce que ce n'est pas une maison moderne. On parle donc d'élargir les portes, de mettre une rampe… et ce n'est que le début.

— Attends une seconde.

Jamie inspira profondément.

— C'est toi qui vas vivre ici, non ?

— Oui, mais tu vas me rendre visite. Je n'achèterai pas un endroit qui n'est pas accessible en fauteuil roulant, et c'est tout.

Jamie était terriblement confus par cette remarque.

Stephen désirait un endroit où il pouvait avoir accès, donc il supposait qu'il désirerait y rester. Très bien.

Mais en réalité, non, ce n'était pas bien.

Je peux être son meilleur ami, mais pas son petit ami ?

Pourquoi Stephen ne veut-il pas de moi, comme moi je veux de lui ?

Il reconsidéra alors les choses.

Qu'est-ce que je m'attends à ce qu'il fasse, lire dans mes pensées ?

Ce n'était pas comme s'il lui avait demandé de sortir avec lui, et que Stephen l'avait rejeté. Et pour quelqu'un qui prétendait être une personne positive, Jamie tirait des conclusions hâtives et vides de sens.

Même les personnes positives souffraient parfois d'un manque de confiance en elles.

Il y avait une explication, bien sûr, à l'absence de tout mouvement de la part de Stephen, mais Jamie ne voulait pas s'aventurer sur ce terrain-là. Parce que cela voudrait dire que sa sœur avait tort, qu'il avait tort, et que Stephen n'était pas différent de tous les autres hommes avec qui il avait voulu sortir.

Sauf que Stephen n'avait rien à voir avec eux. Pour la simple et bonne raison que Jamie n'avait jamais été amoureux d'eux.

— Je suis prêt à partir, annonça Stephen.

Il se dirigea vers la porte. Jamie le suivit, les roues de son fauteuil roulant se bloquant une fois de plus contre le tapis. Stephen parla tranquillement avec l'agent immobilier, ils se serrèrent la main, puis elle s'en alla.

— On se retrouve à la maison ? lui demanda-t-il en désignant sa clé de voiture.

Jamie hocha la tête. Ça ne serait plus leur maison pendant très longtemps...

— Tu es resté silencieux toute la soirée, commenta Stephen, en changeant de chaîne.

Rien n'attirait son attention à la télé et Jamie semblait quant à lui perdu dans son petit monde. Cela ne lui ressemblait tellement pas que les cheveux se dressèrent sur la nuque de Stephen et que quelque chose retourna son estomac.

— Oui. J'ai des choses en tête.

Jamie s'assit sur sa chaise longue, les jambes tendues devant lui. Un magazine télé était posé sur ses genoux, mais il ne le regardait pas vraiment.

— Est-ce que tu as envie d'en parler ? Tu sais ce qu'ils disent au sujet d'un problème…

Jamie ferma son magazine.

— Peut-être que tu pourrais m'aider.

— Je ferais n'importe quoi pour t'aider, déclara Stephen.

Tout était mieux que le silence inconfortable qui les séparait actuellement.

Jamie tourna la tête pour plonger ses yeux dans les siens.

— Est-ce que tu me trouves attirant ?

D'ombres et de lumière

Chapitre 18

Stephen cligna des yeux.

— Excuse-moi ?

Il éteignit la télévision.

— C'est une question assez simple. Est-ce que tu me trouves attirant ? répéta Jamie.

— D'accord, je vais jouer le jeu. Oui.

Le pouls de Stephen accéléra.

— À quel point ? insista Jamie. Disons sur une échelle où 1 représente l'homme éléphant et 10 Chris Evans.

Il était clairement mis sur la sellette…

— Ce n'est pas juste.

— Pourquoi ça ?

— Parce que… je devrai te donner un onze.

Les yeux de Jamie s'illuminèrent, et Stephen comprit qu'il lui avait offert la bonne réponse. Sauf que maintenant, il avait ses propres questions.

— Dis-moi pourquoi tu cherches à obtenir des compliments.

Jamie l'étudia un moment, et Stephen en eut la chair de poule.

— Parce que je n'ai pas la moindre idée de la façon dont tu me vois, se contenta de répondre Jamie.

Stephen s'essaya à l'humour :

— Ah ah.

De toute évidence, Jamie n'était pas d'humeur à rigoler.

— Je suis sérieux. Me perçois-tu comme Jamie ton meilleur ami ? Jamie ton colocataire ? Ou… d'une autre façon ?

— De quelle autre façon parles-tu ? s'enquit Stephen à voix basse.

— Oh, je ne sais pas.

L'intonation de Jamie était légère et aérée, et n'avait rien à voir avec la manière prudente dont il avait formulé sa première question.

— Quelque chose qui ressemblerait un peu à Jamie… un potentiel petit ami.

Stephen le contempla en silence. Mais le sang qui battait à ses oreilles n'avait rien de silencieux et son cœur qui martelait sa poitrine à tout rompre non plus.

— Comment puis-je répondre à ça ?

Jamie pencha la tête sur le côté.

— Je suppose que c'est un non.

— Non ! s'écria-t-il. Ce n'est pas un non. Je veux dire… est-ce que tu veux sortir avec moi ?

Jamie ricana à haute voix.

— Bien sûr que je veux sortir avec toi. Sur l'échelle susmentionnée, tu es au moins à douze. Tu es magnifique. Attentionné. De plus, tu possèdes tellement de bonnes qualités, tu ne laisses pas de miettes dans mon lit, tu ne coupes pas tes ongles d'orteil devant moi…

Il prit une grande inspiration.

— Et c'est un peu dans cet endroit que j'aimerais te savoir en ce moment.

— Dans ton lit ?

Non pas que l'idée ne lui ait pas traversé l'esprit un million de fois. Jamie hocha la tête, braquant son regard sur le sien.

— Oh, je vois.

— Peut-être, mais pas moi, murmura Jamie. Parce que si je suis à onze, pourquoi ne sautes-tu pas sur l'idée de coucher avec moi ? Ce n'est pas comme si nous allions beaucoup dormir.

Le cœur de Stephen se brisa.

— Est-ce que je peux être honnête ?

Parce qu'à ce moment précis, il ne voyait pas d'autres moyens que celui de lui avouer la vérité.

— Je ne suis pas sûr d'apprécier ça.

L'expression de Jamie devint légèrement plus prudente.

— Je te trouve magnifique…

— D'accord, ça se passe mieux que ce que je pensais, s'interposa Jamie.

— Mais…

— Merde, il y a un mais.

— Jamie ! Pour l'amour de Dieu, laisse-moi finir une putain de phrase, d'accord ?

Il se figea, les yeux grands ouverts.

Stephen ne voulait pas faire ça. Il ne voulait pas être un autre homme de plus qui laissait tomber Jamie. Toutefois, il n'entrevoyait pas de solutions ni d'alternatives.

— Je n'ai pas fait de geste dans ta direction parce que… mon Dieu, comment dire ?

— Dis-le, le pressa Jamie. Parce que ce suspense me tue.

— Tu ne veux pas être avec quelqu'un comme moi.

Jamie croisa son regard.

— Pourquoi ne voudrais-je pas être avec un homme magnifique, attentionné, généreux et doux ?

— Parce que je suis un loser.

Jamie ouvrit la bouche, ses lèvres se séparèrent, mais aucun son n'en sortit.

— Tu t'es déjà demandé pourquoi tous ces gars avaient agi ainsi avec moi ? Tu ne t'es pas déjà dit que c'était peut-être ma faute ? Que quelque chose de détraqué en moi les attirait ? Je me suis engagé dans toutes mes relations en m'attendant au pire, et c'est exactement ce que j'ai obtenu. Je les ai laissés me marcher dessus, parce que je pensais que si je faisais ce qu'ils voulaient, ils changeraient. Et bien sûr, ils ne l'ont pas fait.

— Ce sont des conneries, répliqua Jamie sans détour. Je ne suis pas comme ces hommes-là. Oui, il y a quelque chose en toi qui m'attire, et tu veux savoir ce que c'est ? Ta nature douce. Cela n'a pas changé, parce que tu étais déjà un enfant adorable à l'époque. Ta gentillesse. Ton honnêteté. Ta bonté… tout ça m'attirait en toi.

— Arrête, lui dit Stephen. Ne fais pas ça. Ne me mets pas sur un piédestal, parce que je vais certainement tomber de haut, et lorsque je le ferai, je te blesserai dans le processus.

Les yeux de Jamie s'écarquillèrent.

— Qu'est-ce que tu ne me dis pas ?

Au diable son intuition. Il avait besoin d'entendre la vérité.

— Jamie… je n'aime pas les relations platoniques, d'accord ? Si je suis avec un homme, j'aime être… avec un homme, si tu vois ce que je veux dire.

Jamie se renfrogna.

— Faisons semblant pour le moment que je ne vois pas où tu veux en venir. Explique-moi les choses clairement.

Stephen dut détourner le regard.

— Tu veux savoir le seul facteur que toutes mes relations passées avaient en commun ? C'était le sexe. J'aime le sexe, purement et simplement. Et j'aime beaucoup ça. C'est la raison pour laquelle tous ces hommes aimaient sortir avec moi. Au début, c'était pour la baise.

Ces paroles sortirent plus brut de décoffrage que prévu, mais c'était peut-être mieux ainsi, peut-être que cela ferait passer clairement le message. Puis, il se rappela le texto du pote de Carl.

— Je sais que je ne parle pas de mes relations passées, mais cela pourrait te donner un indice. L'autre jour, j'ai reçu un texto d'un gars qui m'a dit que mon ex lui avait donné mon numéro. Il voulait se brancher avec moi. Je ne sais pas ce que Carl lui a dit, mais je peux facilement deviner. Il lui a probablement dit que je serais partant pour une bonne baise et que si Trey désirait se montrer brutal, je n'y verrais aucun inconvénient.

Son cœur se serra.

— Après tout, j'ai subi tout ce que Carl m'a fait sans broncher, pas vrai ?

Jusqu'à ce qu'il trouve la force de s'en aller.

— Est-ce pour ça que tu as un nouveau téléphone ? Ta mère t'a demandé pourquoi tu n'avais pas gardé ton ancien numéro.

— Tu as raison, j'ai un nouveau portable. Je ne veux plus aucun contact avec qui que ce soit appartenant à mon passé.

Jamie se tut pendant un instant, comme s'il digérait mentalement ses paroles. Puis il plongea son regard dans le sien.

— Pourquoi penses-tu que tout ce que tu viens de dire nous empêcherait d'être ensemble ?

Il déglutit.

— Je sais que si nous étions un couple, cette partie de notre vie devrait être reléguée au second plan. Je suis simplement heureux que tu aies pu avoir des relations sexuelles avant l'accident.

Jamie fronça les sourcils.

— Qu'est-ce que tu veux dire par là ?!

— Eh bien, je ne sais pas pour toi, mais l'idée de rester vierge toute ma vie…

Jamie le regardait fixement.

— Quoi ? Ce n'est pas comme si tu pouvais…

Son regard ne vacilla pas.

— Je veux dire, est-ce que tu peux même… ? Arrives-tu à… ?

Jamie déglutit.

— Je pense que tu peux t'arrêter là.

— Jamie ?

Mon Dieu, son visage était terriblement crispé.

— Est-ce que tu parles du sexe ?

Stephen fronça les sourcils.

— Je pense que tu connais déjà la réponse à cette question.

— Est-ce que ça t'arrive d'être excité par ce que tu vois, ce que tu regardes, ce que tu lis ?

— Oui.

Jamie hocha lentement la tête.

— Voici une putain de bonne nouvelle pour toi. Moi aussi. Bien sûr que je peux avoir des relations sexuelles. Bien sûr que je suis capable d'avoir des érections. Devine quoi ? Je me branle moi aussi. Certes, mes orgasmes ne sont probablement pas ceux à quoi on s'attendrait, mais oui, je suis capable d'avoir un orgasme.

Il rapprocha son fauteuil roulant et se transféra dessus.

— Jamie…

Stephen avait clairement merdé cette fois. Jamie l'ignora et se rendit dans sa chambre.

Fais quelque chose, idiot.

Stephen se leva et le suivit.

— Jamie, je suis…

Ce dernier fit pivoter son fauteuil roulant pour lui faire face.

— Et maintenant, si tu n'y vois pas d'inconvénients, tu vas pouvoir me laisser seul pour jouer avec mes jouets. Oui, je parle de jouets sexuels, parce que voici une autre exclusivité pour toi… les personnes handicapées utilisent aussi des sextoys. Alors, je vais m'assurer d'être prévenant et de ne pas gémir trop fort lorsque je me branlerai. Je ne voudrais pas te déranger. Maintenant, dégage de ma chambre.

Ses yeux lançaient des éclairs. Stephen savait que c'était sa faute.

— D'accord, répondit-il doucement.

Il quitta la pièce en grimaçant et entendit la porte claquer derrière lui.

— Tu sais ce qui fait le plus mal dans tout ça ?

La douleur dans la voix de Jamie lui transperça le cœur.

— Je pensais que tu serais différent. Je pensais que tu ne ferais pas de suppositions stupides. Tout ce que tu avais à faire pour être parfait, c'était de m'embrasser et de me demander ce que j'aime faire au lit et j'aurais été à toi, cœur, corps et âme. Et non, je n'ai pas beaucoup d'expériences, mais toi, tu en as. J'espérais que tu la partagerais avec moi.

— J'ai merdé, d'accord ? s'écria Stephen. Mais ça ne veut pas dire que je ne peux pas arranger les choses. Laisse-moi au moins essayer.

Le silence qui tomba si lourdement n'était pas de bon augure.

— S'il te plaît, Jamie. Je ne te demande pas de me laisser entrer. Pas maintenant. Mais je te demande de m'accorder une autre chance.

Silence à nouveau.

— Allez, Jamie. Tu sais que tu en as envie. Parce que moi, j'en ai très envie.

— Va te coucher, Stephen. Tu travailles demain matin.

La voix de Jamie avait perdu de son mordant, il semblait désormais très fatigué. Las.

— Promets-moi que tu me donneras une autre chance. Je t'assure que je ne te laisserai pas tomber.

C'était bien trop important. Le soupir sincère de Jamie atteignit ses oreilles.

— J'ai besoin de dormir.

— Je sais. Et je suis vraiment désolé de t'avoir fait du mal. Tu as raison. Je n'aurais pas dû faire de suppositions.

Son cœur semblait sur le point de se briser.

— Effectivement !

Stephen s'efforça de trouver les mots qui régleraient le problème.

— C'est tout nouveau pour moi, mais je suis prêt et je veux apprendre. Bien sûr, je suis nerveux. Je ne veux pas tout gâcher, pas plus que je ne l'ai déjà fait. Mais dis-moi au moins que nous pouvons parler de ça, et pas à travers une porte fermée.

Le silence de l'autre côté était une pure torture.

— Demain.

Jamie parla si doucement que Stephen dut tendre l'oreille pour l'entendre.

— Nous parlerons demain soir, quand tu rentreras à la maison, d'accord ?

— D'accord.

L'espoir l'envahit à nouveau.

— Bonne nuit.

Stephen se pencha en avant et posa son front contre la porte.

— Bonne nuit, Jamie.

Puis, il entra lentement dans le salon pour récupérer son portable, le cœur meurtri.

On dirait que j'ai des recherches à faire.

Parce qu'il n'allait pas dormir avant d'avoir obtenu des réponses à ses questions.

Je vais rectifier le tir. Si Jamie me le permet.

Jamie n'était pas près de trouver le sommeil, bien que cette confrontation l'ait épuisé. Une espèce de lourdeur pesait sur sa poitrine et ses bras, il se sentait froid de l'intérieur, jusque dans son cœur. Son esprit était terriblement embrouillé.

Il avait besoin de réconfort. De réconfort et d'espoir.

Il avait besoin de sa mère.

Jamie composa un court message, espérant qu'elle n'était pas déjà allée se coucher. Lorsque son téléphone sonna et qu'il regarda l'écran, son cœur sembla se décrisper un peu.

Quoi de neuf, bébé ?

Elle l'avait appelé ainsi tant de fois, et à ce moment-là, il aspirait à entendre sa voix.

Est-ce que nous pouvons parler ?

Quelques secondes plus tard, son portable sonna.

— Qu'est-ce qui ne va pas ? Et ne me dis pas que tout va bien. Tu ne peux pas tromper l'instinct d'une mère.

Il déballa le tout, sans rien retenir. Elle l'avait vu dans les pires instants, au plus bas, et il savait de tout son cœur qu'elle ne lui offrirait jamais de platitudes, mais à la place de bons et solides conseils.

— Alors, est-ce que tu vas lui accorder une seconde chance ? lui demanda-t-elle lorsqu'il eut terminé.

La partie blessée de son âme voulait refuser, mais Jamie avait su dès l'instant où il avait fini de parler avec Stephen qu'il le ferait.

— Oui.

— Je suis heureuse. Je n'aimerais pas que votre amitié se termine ainsi.

— Se termine ?

Cela le frappa alors. Elle avait raison. S'ils ne parvenaient pas à trouver un moyen de revenir en arrière, continuer à avancer serait douloureux.

— Tu l'aimes, pas vrai ?

Jamie soupira.

— Maman, je l'aimais comme un frère. Puis il est revenu, tout grand et magnifique, et je l'ai aimé encore plus. Et une partie de moi a toujours espéré qu'il pourrait m'aimer lui aussi.

— C'est parce que tu vois toujours le meilleur chez les gens. Tu ne pensais pas qu'il serait comme tous les autres.

— De temps en temps, cette pensée m'a traversé l'esprit, mais je l'ai repoussée. Et j'ai continué à le faire, jusqu'au moment où il a rendu évidente la manière dont il me voit.

— Est-ce qu'il t'a dit qu'il t'aimait ?

— Non, je ne lui ai pas donné la chance d'aller

aussi loin.

— Alors c'est pour cette raison que vous devez parler. Tu dois découvrir ce qu'il ressent vraiment pour toi. Aie confiance, mon garçon. Crois en lui.

— Après tout ce qu'il a dit ?

Il y eut une pause.

— En ce moment, tu souffres. Je comprends ça. Mais ce que tu dois faire, c'est dormir. Le sommeil guérit les blessures, et tu devras être prêt à l'écouter demain avec un esprit ouvert et un cœur tout aussi ouvert. Demain est un autre jour après tout, Scarlett.

Il gloussa.

— Tu aurais été parfaite en tant que Mélanie Hamilton.

— Et pour ce qui est de Stephen... il me semble qu'il essaie de faire amende honorable, alors laisse-le faire. Écoute-le. Qui sait où une telle conversation pourrait vous mener ?

— Je t'aime, dit-il brusquement.

— Moi aussi, je t'aime. Essaie de dormir un peu et appelle-moi quand vous aurez parlé, avec Stephen.

— Merci, maman.

Il lui souhaita une bonne nuit et mit fin à l'appel. Après avoir placé son portable sur sa table de chevet, il s'allongea et fixa le plafond.

Demain est un autre jour.

Sa mère avait raison. Qui savait quelle serait sa situation le lendemain ? Il éteignit sa lampe de chevet, ferma les yeux et attendit que le sommeil le trouve pour apaiser les douleurs de son cœur.

Chapitre 19

Jamie poussa son fauteuil roulant et se souleva légèrement avant de s'immobiliser une trentaine de secondes. *Je dois lui donner un peu de répit, pas vrai ?* Il s'installa à nouveau dans son fauteuil et observa l'écran, en essayant de ne pas penser à Stephen.

Non pas qu'il l'ait vu ce matin-là. Au moment où Jamie était sorti de sa chambre, les yeux encore à moitié fermés, Stephen était déjà parti pour le travail. Jamie avait jeté un coup d'œil à la cuisine déserte, s'était versé un café, puis était retourné au lit pour profiter d'une heure supplémentaire de sommeil. Au moment où l'heure du déjeuner était arrivée, il se sentait beaucoup plus alerte. De temps en temps, il regarda son portable, se demandant si Stephen allait lui envoyer un message.

Rien.

En fin de compte, il positionna son téléphone hors de vue et décida de se plonger dans son travail. Ce qui fut plus facile à dire qu'à faire. Son esprit n'arrêtait pas de rejouer la conversation de la veille, jusqu'à ce que réfléchir lui soit impossible. Il se dit que les choses s'amélioreraient lorsque Stephen rentrerait.

S'il n'était pas devenu fou d'ici là.

À 16 h 30, la porte s'ouvrit.

— Stephen ? C'est toi ?

Ce dernier passa sa tête par l'entrebâillement de la porte du salon.

— À moins que tu aies donné les clés à un voleur, oui.

Mon Dieu, il avait à peu près la même apparence que lui. Il avait des cernes sous les yeux et une tension qui ne pouvait être manquée dans son visage. Une petite partie de Jamie était heureuse de ne pas être le seul à souffrir, avant qu'il repousse avec honte cette pensée. Une telle mesquinerie était loin de sa ligne de conduite habituelle.

— Que fais-tu à la maison à cette heure ?

Stephen entra dans la pièce et retira sa veste, après avoir posé sa sacoche sur le canapé.

— J'ai demandé à partir plus tôt. Au vu des circonstances, mon père a accepté.

— Quelles circonstances ?

— Étant donné que j'ai eu du mal à faire mon travail aujourd'hui, il s'est dit qu'il valait mieux que je rentre chez moi.

Stephen lui adressa un sourire ironique.

— Hé, ce n'est pas comme s'il allait me virer, pas vrai ? Et je ferai des heures supplémentaires pour me rattraper.

Il se rapprocha du bureau de Jamie et se posta à côté de lui.

— Je suis désolé, dit-il tout bas. Tu avais raison hier soir. Je n'aurais pas dû faire de suppositions. C'était idiot de ma part.

Jamie croisa les bras.

— Si tu cherches un soutien de ma part, tu ne le trouveras pas.

— Je ne m'y attends pas, laissa échapper Stephen. J'ai beaucoup réfléchi à ce que tu as dit. J'ai aussi effectué quelques recherches.

Ses lèvres tremblèrent.

— En réalité, j'ai passé mon temps à lire aujourd'hui au lieu de travailler.

— Cela pourrait expliquer ton manque de productivité.

Jamie pencha légèrement la tête de côté.

— Qu'est-ce que tu as lu ?

Stephen se déplaça vers le canapé et fouilla dans son sac. Il en sortit une Kindle, en ouvrit la pochette et fit courir son doigt sur l'écran. Puis il la tendit à Jamie.

— Ça.

Jamie fixa la couverture du livre.

— Quand est-ce que tu as acheté ça ?

— Ma Kindle ? Je l'ai depuis un certain temps.

Jamie leva les yeux au ciel.

— Tu vois très bien ce que je veux dire. Quand as-tu acheté ce livre ?

Il affichait une couverture de dessin animé, mais ce qui avait attiré immédiatement l'attention de Jamie était son titre : « *un guide rapide et facile sur le sexe pour les personnes à mobilité réduite* ».

Quelque chose flotta dans le ventre de Jamie, alors que son cœur se sentait un peu plus léger.

— Hier soir. Environ vingt minutes après que nous

avons parlé à travers ta porte. Ce n'est pas une grande lecture, mais je l'ai déjà lu trois ou quatre fois.

— Est-ce que tu as pris des notes ? plaisanta Jamie.

À sa grande surprise, Stephen hocha la tête.

— J'ai également déniché quelques sites Internet qui m'ont donné encore plus matière à réfléchir.

Jamie était sans voix.

— Alors, je suppose que je te demande... pouvons-nous recommencer, s'il te plaît ? Parce que j'ai une idée de la façon dont nous pourrions le faire.

Jamie s'éclaircit la gorge.

— Qu'est-ce que tu as en tête ?

— As-tu quelque chose de prévu pour le dîner ?

Jamie ricana.

— Euh, non, parce que c'est à ton tour de cuisiner, tu te souviens ?

Stephen sourit.

— C'est parfait. Dans ce cas, prends une douche et enfile tes habits du dimanche, parce que nous allons manger au restaurant.

— Mes vêtements du dimanche ? railla Jamie. Je suppose que cela signifie que nous ne mangerons pas dans un fast-food.

— Absolument pas. Je t'invite à dîner dans un endroit agréable.

Le rythme cardiaque de Jamie accéléra.

— On dirait... un rendez-vous.

Stephen sourit.

— Peut-être parce que c'est exactement ça. Je compte faire les choses correctement. Alors, sois prêt à 18 h 30. C'est à cette heure que le taxi arrive.

— Un taxi ?

Les choses s'amélioraient. Stephen lui adressa un signe de tête catégorique.

— Oui. Le restaurant est également déjà réservé.

Il se pencha vers son fauteuil.

— Tu devais être sacrément confiant quant au fait que j'allais accepter.

— Parce que tu acceptes ?

Le regard de Stephen était ancré au sien. Jamie respirait un peu mieux.

— J'adorerai sortir avec toi.

Lorsque Stephen poussa un soupir de soulagement évident, le cœur de Jamie rata un battement. Cela signifiait évidemment beaucoup pour lui. Jamie avait hâte de voir ce que la soirée leur réservait.

Il sourit.

— C'est moi qui passe en premier dans la salle de bain, hurla-t-il lorsque Stephen alla chercher son sac.

Ce dernier ricana.

— Je croyais que c'était une des règles de la maison. Les personnes valides peuvent attendre leur tour, n'est-ce pas ?

Jamie mit fin au programme sur lequel il travaillait. Ce n'était pas comme s'il parvenait à se concentrer de toute façon.

Je vais avoir un rendez-vous. Avec Stephen.

S'il arrivait à survivre suffisamment longtemps, parce qu'à ce moment-là, son sang bourdonnait à ses oreilles et son pouls s'emballait terriblement.

— Alors, comment je me débrouille ? murmura Stephen alors que le serveur partait avec leur commande de cocktails.

Jamie n'avait pas arrêté de sourire depuis qu'ils avaient quitté la maison, mais il fit de son mieux pour se calmer.

— Eh bien, voyons voir. Tu as réservé un taxi accessible aux fauteuils roulants. Tu as choisi un restaurant qui y est également accessible. Et en plus, tu commences la soirée par des cocktails.

Il ne put se retenir de sourire davantage.

— Je dirai que tu ne t'en sors pas trop mal, même si encore sur une pente raide, alors ne te relâche pas.

Il se lécha les lèvres.

— J'ai hâte d'essayer leur espresso martini.

Stephen fronça les sourcils.

— Attends une minute. Je croyais que tu n'aimais pas la vodka ?

Jamie haussa les épaules.

— Que puis-je dire ? J'ai menti.

Puis, il accorda toute son attention au menu. Il n'était jamais venu dans cet endroit et il appréciait son apparence. Des box bordaient le côté fenêtre du restaurant, les sièges étant recouverts d'un tissu jaune semblable à du cuir qui donnait l'impression qu'il y avait du soleil. Il y avait également de grands tabourets devant le bar et des tables simples pour un ou deux convives le long des murs. Il y avait également beaucoup de place pour manœuvrer, donc ce restaurant gagnait le suffrage de Jamie.

Stephen laissa échapper un faible gémissement.

— Oh mon Dieu. Des boulettes de viande. Ça sonne bien.

— Est-ce qu'elles font des sons ? Est-ce qu'elles chantent ? Est-ce qu'elles font des prestations en direct ?

Stephen baissa son menu et regarda Jamie dans les yeux.

— Je n'ai jamais été aussi heureux de t'entendre faire une blague.

Jamie sourit.

— Tu devrais me connaître maintenant. Il faut faire preuve de beaucoup d'efforts pour me calmer.

Il déglutit.

— Mais il m'a fallu jusqu'à maintenant pour me sentir à nouveau comme d'habitude.

Stephen soupira.

— Et c'est entièrement ma faute. Nous en reparlerons plus tard, je te le promets, mais pour l'instant, je veux simplement profiter de ce moment avec toi.

À ce moment-là, les cocktails arrivèrent, et Jamie dut admettre que le mojito aux bleuets de Stephen était délicieux. Lorsque le serveur s'attarda près d'eux, s'attendant clairement à recevoir leur commande, Jamie opta pour les deux plats qui lui avaient fait de l'œil, et Stephen en fit de même. Alors que le serveur s'éloignait, Jamie poussa un soupir heureux.

— Sais-tu à quel point c'est agréable d'avoir un serveur qui me parle réellement ?

Stephen fronça les sourcils.

— Que veux-tu dire ?

— Je suis souvent allé manger avec ma famille, et il est arrivé qu'un serveur demande ma commande à ma mère ou à mon père, comme si je n'existais pas.

— Je ne vois pas comment une telle chose pourrait se produire avec tes parents, fit remarquer Stephen.

Il renifla.

— Ce n'était pas beau à voir. Maman s'est contentée de lui adresser un faux sourire et de lui dire : « je n'ai vraiment aucune idée de ce qu'il veut commander. Pourquoi ne pas lui poser la question directement ? ».

— Ça arrive souvent ?

— Oui. Mais je ne pense pas qu'il ait fait exprès de se montrer grossier. C'est un réflexe, je suppose. Les gens ne savent pas comment réagir face à une personne handicapée et ils font des bourdes. S'il y a une personne en bonne santé dans le coin, c'est plus facile pour eux. Mais assez parlé des serveurs.

Il leva son verre.

— À la poutine et aux macaronis au homard.

Stephen leva également son verre.

— J'ai une meilleure idée. À notre premier rendez-vous.

D'accord, cela fit accélérer les battements de son cœur.

— À notre premier rendez-vous.

Ils trinquèrent, puis il sirota son martini glacé, savourant la riche saveur du café. Lorsqu'il reposa son verre, Jamie s'autorisa enfin à se détendre dans son fauteuil.

— Si nous atteignons le stade du second rendez-vous, ce sera une première pour moi.

Stephen se figea.

— Attends…

Jamie hocha la tête.

— Oui, tu as bien entendu. J'ai eu beaucoup de premiers rendez-vous. Mais je n'en ai jamais eu de second.

Lorsque le visage de Stephen se décomposa, Jamie se pencha pour s'emparer de sa main.

— Mais il y aura un second rendez-vous avec toi, pas vrai ?

Il le pressentait, de ses bourses jusque dans ses os.

— Et un troisième. Puis un quatrième.

Jamie sourit.

— Si tu espères avoir de la chance ce soir, tu vas dans la bonne direction.

Le serveur s'approcha et Jamie ne put pas résister. Alors qu'il posait leurs assiettes sur la table, Jamie murmura :

— Si tu m'invites à dîner, le moins que je puisse faire en retour, c'est de coucher avec toi.

Stephen faillit s'étouffer avec son mojito. Les yeux du serveur s'écarquillèrent comme des soucoupes, puis il sourit et se pencha pour chuchoter à l'oreille de Stephen :

— On dirait que c'est votre jour de chance, mon

pote. Et en passant, vous avez un excellent goût en matière d'hommes.

Il se redressa et s'en alla sans plus de cérémonie. Stephen adressa un faux regard noir à Jamie.

— Tu n'es pas sortable !

Jamie lui envoya un baiser.

— Tu m'aimes, et tu le sais.

Puis il se rendit compte de ce qu'il venait de dire et se figea. Il ne le savait pas, pas avec certitude. Il l'espérait simplement.

Apparemment, Stephen prit ses paroles à la légère, comme elles avaient été prononcées.

— Et je ne te changerais pour rien au monde.

Jamie se réfugia dans son entrée. À partir du moment où il avait aperçu la couverture du livre sur la Kindle de Stephen, l'espoir s'était épanoui en lui, se transformant en un déluge d'optimisme et d'attente. Leur rendez-vous était tout ce dont il avait toujours rêvé et n'avait très certainement rien de comparable avec n'importe quel autre de ces rendez-vous. D'abord, il avait dans l'idée que celui-ci pourrait se terminer là où il le désirait… dans son lit.

Je pense que j'ai attendu suffisamment longtemps, pas vrai, Seigneur ? Que dois-je faire pour que cette nuit soit inoubliable ?

Et le revoilà, à marchander avec le Tout-Puissant.

— Jamie.

Stephen lui souriait.

— Notre serveur veut savoir si tu veux un dessert.

Jamie hocha la tête en direction du serveur décidément trop mignon, qui se contenta de le regarder avec des yeux scintillants, comme s'il savait exactement ce qui se passait sous son crâne. Jamie toussota et parcourut le menu. Il n'était même pas certain d'avoir la place pour un dessert, pas après tout ce qu'il avait mangé jusqu'ici. Il ne voulait pas se sentir trop lourd ce soir, surtout si…

Non. Arrête…

— Je pense que je vais passer mon tour, dit-il en souriant poliment au serveur, qui lui adressa un sourire entendu en retour.

Jamie ne s'était jamais senti aussi bien. Stephen demanda l'addition, et Jamie termina son verre de sauvignon blanc. C'était un dîner parfait, désormais il était excité de voir ce qui se passerait lorsqu'ils seraient rentrés à la maison.

— Tu es prêt à partir ?

Jamie lui adressa un large sourire.

— Oui. Ce fut une merveilleuse soirée.

— Et elle n'est pas encore terminée.

Lorsque Jamie fronça les sourcils, Stephen se contenta de sourire, les yeux brillants.

— Je t'ai payé à dîner, le moins que tu puisses faire en retour, c'est de coucher avec moi.

Jamie retint son souffle.

— Si tu appelles un taxi, à quelle vitesse peut-il arriver ici ?

Son sourire ne faiblit pas.

— J'ai déjà appelé un taxi depuis mon portable il y a quinze minutes. Il nous attend devant la porte.

— Alors pourquoi restes-tu là à faire la conversation ?

Jamie s'éloigna de la table et se dirigea vers la porte, suivi de près par Stephen.

Il riait encore lorsqu'il aida Jamie à grimper sur la rampe métallique, puis dans le taxi.

Jamie ne riait pas, lui. Il était trop occupé à planifier mentalement ce qu'il allait faire lorsqu'il franchirait la porte d'entrée de sa maison.

Ce serait une expérience parfaite.

Chapitre 20

Dès que Stephen ferma la porte derrière eux, Jamie décida de jouer le tout pour le tout.

— D'accord, je dois prendre une douche, alors si tu veux te servir de la salle de bain, c'est le moment. Et ensuite je dois…

Stephen arrêta ses paroles en posant un doigt sur les lèvres de Jamie.

— Jamie ? La seule chose que tu dois faire à cet instant c'est respirer et m'embrasser.

Il écarta son doigt et se pencha. Jamie pencha la tête en arrière et Stephen réclama sa bouche dans un tendre et chaste baiser, sa main posée sur la joue de Jamie.

Enfin.

Ses lèvres étaient chaudes et douces, et Jamie en désirait plus. Il tendit les deux bras, les enroula autour du cou de Stephen et lui rendit son baiser. Les lèvres fermées, les yeux grands ouverts parce qu'il ne comptait pas rater une putain de seconde de cet instant. Parce que c'était tout bonnement merveilleux.

Lorsqu'ils se séparèrent, Stephen murmura :

— Pour information ? Si je portais des lunettes en

cet instant, elles seraient recouvertes de buée.

Jamie sourit.

— Tu sais comment aider un homme à se sentir bien. Et c'est bon de savoir que je sais toujours comment embrasser.

Jamie se força à se rasseoir sur son fauteuil. Il regarda Stephen droit dans les yeux.

— Même si je pourrais passer toute la journée à t'embrasser, il y a des choses dont nous devons discuter avant de faire quoi que ce soit. Je n'essaie pas de casser l'ambiance, mais, oui, il faut que nous communiquions.

Il avait appris par cœur ce qu'il voulait dire, et il allait enfin pouvoir s'exprimer.

— Et si nous allions dans ta chambre pendant que nous parlons ?

Jamie pouvait le faire. Il entra dans sa chambre et attendit que Stephen soit assis sur le bord du lit. Il fut surpris de voir ses mains trembler légèrement. Stephen le remarqua. Il se pencha en avant et les prit dans les siennes.

— D'accord. Avant que tu commences, est-ce que tu veux que je te dise ce que je crois avoir appris ?

Jamie hocha la tête, la gorge brusquement serrée.

— La chose la plus importante est... tu es magnifique et je te veux. Compris ?

Jamie tremblait.

— Mec, quelle merveilleuse façon de commencer. Oui, c'est compris. Je te veux moi aussi.

Stephen combla l'écart entre eux et l'embrassa à nouveau, mais cette fois, il sépara les lèvres de Jamie avec sa langue, et ce dernier fondit contre lui. Il lui donna autant qu'il put, jusqu'à ce que Stephen laisse échapper de doux bruits d'excitation. Jamie mourait d'envie de se déshabiller.

Stephen mit fin au baiser, la respiration erratique.

— Waouh. Je pense que tu parlais de communication ?

— Nous sommes en train de communiquer, sourit Jamie. Nous parlons avec nos langues.

Stephen renifla.

— Je ne crois pas que ce soit ce que la Bible voulait dire par là.

Il s'assit, les mains de Jamie toujours dans les siennes.

— D'accord, parlons érection. Tu as dit que tu en avais. Je suppose que tu as besoin de stimulations pour en obtenir une, étant donné que tu m'as dit que ta blessure était située au niveau de T10, ce qui signifie que tu ne peux pas te mettre au garde-à-vous simplement en pensant à moi nu.

Ses lèvres tremblèrent.

— Tu as déjà pensé à moi comme ça, n'est-ce pas ?

Jamie ricana.

— Je ne sais pas si je dois te frapper le bras pour te comporter comme un enfoiré suffisant ou t'embrasser jusqu'à t'en faire perdre haleine. Comment diable sais-tu…

Puis cela le frappa.

— Tu as vraiment fait des recherches hier soir.

Stephen hocha la tête.

— Je t'ai dit que je voulais apprendre, non ? J'ai

donc fait mes devoirs. Ces jouets que tu as mentionnés ? Est-ce que l'un d'entre eux fera l'affaire ?

Jamie pensa immédiatement à son vibromasseur.

— Certainement.

Il se mordit la lèvre.

— Bien que je puisse penser à une autre méthode de stimulation qui ne nécessite pas de jouets.

Son regard vacilla jusqu'à la bouche de Stephen, puis remonta jusqu'à ses yeux. Les joues de Stephen rougirent.

— C'est drôle. Je pense à la même chose.

Il concentra son regard sur les lèvres de Jamie et un intense sentiment de chaleur l'envahit.

— Je devine aussi que tu dois te préparer. C'est bien. Prends tout le temps dont tu as besoin. Maintenant, tu as un coussin, ou quelque chose comme ça, au cas où nous arriverions aussi loin ce soir ? Si ce n'est pas le cas, nous utiliserons de simples oreillers jusqu'à ce que nous puissions nous en trouver un vrai.

Putain. Ça se passait de mieux en mieux.

— J'en ai un, répondit Jamie. Il se trouve sur une étagère dans mon placard. Il est toujours dans son emballage d'origine.

N'était-ce pas très révélateur ? Les paroles de Stephen l'atteignirent alors.

— Au cas où nous irions aussi loin ?

Stephen lui caressa la joue.

— Calme-toi. Je préfère que nous y allions lentement. Ça te va ?

Ses yeux étaient emplis de chaleur.

— Je ne suis pas pressé.

— Bien sûr, mais tu n'as pas fait que penser à t'envoyer en l'air depuis 2011. Moi, j'ai envie de rattraper le temps perdu.

Stephen ricana.

— Tu ne vas pas tout faire en une seule nuit, pas vrai ?

— Ça me ferait faire de l'exercice, murmura Jamie.

Ce n'était pas ce qu'il voulait dire. L'idée qu'ils puissent prendre les choses lentement fit gonfler son cœur de joie.

— Puis-je faire quelque chose ? Mettre de la musique ? Qu'est-ce que tu aimerais ?

— Du rock fonctionne toujours pour moi, répondit Jamie.

Lorsque Stephen ricana, Jamie serra les mains.

— Je suis impressionné. Sérieusement, où étais-tu durant toute ma vie ?

— En Californie, répondit simplement Stephen. Mais je suis ici maintenant, je ne vais nulle part.

Il se déplaça lentement et posa sa main sur le cou de Jamie pendant qu'il l'embrassait, prenant tout son temps.

— Flash info, murmura Jamie.

Stephen s'écarta pour croiser son regard, et il lui sourit.

— Si je portais des lunettes, elles seraient également pleines de buée.

— C'est bon à savoir.

Stephen se racla la gorge.

— D'accord. Qu'est-ce que tu aimes ? Qu'est-ce que tu aimais ?

Ses yeux scintillèrent.

— Dis-moi où te toucher pour que tu te sentes bien.

— Je le ferai quand nous serons tous les deux entièrement nus, mais écoute…

Peu importait que Stephen ait pris le temps de faire des recherches sur les subtilités du sexe et du handicap, la dernière chose que Jamie voulait était de le décevoir. Stephen serra une fois de plus ses mains.

— Est-ce que tu regardes du porno ?

Jamie hocha la tête.

— Moi aussi, alors je pense que je ferais mieux de le dire maintenant.

Il marqua un temps d'arrêt.

— Ne t'attends pas à ce que je sois aussi athlétique qu'une star du X, d'accord ?

Jamie rit, et la tension dans son dos et ses épaules se dissipa.

— Merci de m'avoir prévenu.

C'était un moment important, et Stephen semblait toujours savoir ce qu'il fallait dire.

— Je suppose que c'est là que je devrais mentionner les attentes.

Cela suscita son intérêt.

— Je t'écoute.

Stephen toussota.

— Ce que j'ai lu hier soir, c'est qu'il y a des choses que tu peux faire pour prolonger ton érection, alors je me demandais…

OK, il n'y avait qu'une seule direction qu'il pouvait prendre désormais. Jamie retint son souffle.

— Ce que tu as lu est exact. Mes érections ne durent plus aussi longtemps, mais nous pouvons éviter l'inévitable en utilisant un anneau pénien et… du Viagra. Mais si nous devons le faire, tu devras m'avertir avant, parce qu'il semble qu'il faut un certain temps pour que ça agisse. D'après ce qu'on dit.

Il jeta un coup d'œil spéculatif en direction de Stephen.

— Dis-moi si j'ai mal compris, mais j'ai l'impression que tu veux que je…

— Oui, si c'est possible.

Jamie afficha un lent sourire.

— S'il te plaît, dis-moi que nous en avons fini avec la communication ?

Parce que tout ce qu'il désirait à ce moment-là, c'était de sentir ses testicules heurter le cul de Stephen. Apparemment, ils allaient prendre leur temps pour y arriver.

— Nous en avons terminé. Pour l'instant.

Stephen saisit son menton et l'observa fixement.

— Mais si tu veux poser une question ou arrêter à tout moment, tu n'auras qu'à me le dire, d'accord ?

Les larmes lui montèrent aux yeux, et Stephen les essuya doucement de ses pouces. Jamie laissa échapper un rire ironique.

— Tu es incroyable. En vingt-quatre heures, je suis passé de vouloir te mettre à la porte à ne jamais vouloir que tu t'en ailles.

— Je devais faire quelque chose, tu ne crois pas ? Je ne pouvais pas te perdre.

Stephen embrassa son front.

— J'ai été un idiot de ne pas me renseigner avant.

— Hé, on y est arrivé à la fin. C'est tout ce qui compte.

Les yeux de Stephen scintillèrent d'amusement.

— Nous n'en sommes pas encore là. Et nous n'y arriverons pas si quelqu'un ne conduit pas son cul dans la salle de bain et ne fait pas ce qu'un bon garçon doit faire.

— On dirait que quelqu'un est impatient.

Une pensée soudaine le frappa. Il toucha sa poche, en sortit son téléphone et le jeta sur le lit.

— Regarde dans la musique. Il y a une playlist intitulée « Trucs d'ambiance ». C'est peut-être ce que tu avais en tête, au cas où tu n'aimais pas l'idée du heavy metal.

Puis il toussota.

— Désolé, mais je vais avoir besoin de mon lit pour retirer mes vêtements. Et bien que j'adore l'idée de te faire un striptease, je préfère garder la grande révélation pour quand je sortirai de la salle de bain, d'accord ?

Malgré ses blagues et le retour de son côté spirituel, Jamie était très nerveux. Stephen se leva du lit et se dirigea vers la porte.

— J'ai déjà vu ce que tu es sur le point de révéler. Ou en tout cas, la plupart. Je me souviens que tu cachais quelque chose sous une serviette.

Il s'avança à nouveau vers le fauteuil de Jamie et se pencha. Jamie trembla une fois de plus alors que ses lèvres chaudes effleurèrent son oreille.

— Et j'ai hâte de voir ce que tu cachais là-dessous.

Depuis tout le temps où Jamie manœuvrait son fauteuil roulant, il n'était jamais allé aussi rapidement dans la salle de bain.

Jamie contempla son reflet dans le miroir au-dessus de l'évier. Son cœur battait à tout rompre dans sa poitrine.

Eh bien, je suis aussi prêt que possible.

Il quitta la salle de bain et entra dans sa chambre par le couloir. En ouvrant la porte, il retint son souffle.

Oh, Stephen.

Il y avait des bougies partout, qui dégageaient un merveilleux arôme de vanille et de bois de santal qui semblait parfait. Elles donnaient à la chambre une atmosphère agréable. « Fade Into You » de Mazzy Star emplissait l'air d'un doux son de guitare, et sa voix semblait à propos pour l'occasion. Une grande bouteille de lubrifiant se trouvait sur la table de nuit, une boîte de préservatifs juste à côté. Stephen avait étendu une serviette sur la couverture.

Mon Dieu, regardez-le.

Stephen était allongé sur son lit, entièrement nu, et jouait paresseusement avec sa verge. Il sourit tandis que Jamie roulait vers le lit.

— Tu veux monter à bord tout seul, ou tu veux que je t'aide ? Je pourrais te porter sur le lit, si ça te convient.

Jamie ricana.

— Bien que j'apprécie l'idée que tu me soulèves… et ne crois pas que je n'apprécie pas le romantisme de tout ça, je ne voudrais pas que tu…

Il sourit.

— Mais merci d'avoir demandé.

Il gara son fauteuil roulant à côté du lit et se transféra sur le lit. Il se positionna au centre de la serviette et s'allongea sur le dos, le ventre noué et le cœur battant à tout rompre. Stephen fut près de lui en un battement de cœur, sa main sur le torse de Jamie, qui le caressait lentement.

— Tu es magnifique.

— Tu fais de grandes choses pour mon ego aujourd'hui.

Stephen lui caressa la joue.

— Si aucun homme avec qui tu es sorti ne te l'a dit, tu es sorti avec de mauvaises personnes.

Il contempla le corps de Jamie.

— Belle révélation, soit dit en passant.

Jamie laissa échapper un soupir. Il avait été tenté de se branler légèrement dans la douche, de sorte qu'il soit au moins un peu dur au moment d'entrer dans la chambre. Puis il avait reconsidéré les choses.

Il voulait qu'il le voie comme il était. Qu'il soit témoin de ce que cela lui faisait ressentir lorsqu'il le touchait.

— Tu es à l'aise ?

Lorsque Jamie hocha la tête, il se pencha et l'embrassa sur les lèvres. Jamie laissa échapper un soupir dans ce baiser. Il s'agrippa ensuite à la nuque de Stephen et l'attira contre lui, afin d'approfondir le baiser. Cela lui permit ainsi de se détendre sous la poigne douce de son amant. Lorsqu'il s'écarta, Jamie inspira profondément.

— C'est comme se trouver devant un buffet à volonté. Je ne sais pas par où commencer. Il y a trop de choses à toucher et à goûter.

Stephen se pencha contre le torse de Jamie, son haleine chaude faisant naître des frissons sur sa peau.

— J'aimerais avoir une leçon sur ce qui excite Jamie.

Lorsque ses lèvres effleurèrent son mamelon, Jamie gémit.

— Bingo.

Stephen redressa le menton en souriant.

— Et ainsi commence la chasse.

— La chasse à quoi ?

Le souffle de Jamie lui manqua lorsque Stephen tira doucement sur son mamelon avec ses dents. Les yeux de ce dernier scintillèrent.

— Tes zones érogènes.

Son pouls s'accéléra. Lorsque Mazzy Star s'arrêta et qu'Aretha Franklin prit la relève avec « Do Right Woman, Do Right Man », Jamie fut plongé dans un monde de sensations. Il perdit toute notion du temps, alors que Stephen l'embrassait, le léchait, suçait et taquinait son torse, ses mamelons, son ventre, ses épaules… la trace la plus légère d'un doigt courant sur ses abdominaux fit naître des frissons dans tout son corps.

Ils n'échangèrent pas beaucoup de paroles, mais en réalité, ça n'était pas nécessaire. Ou en tout cas, ils n'allèrent pas plus loin que « comme ça ? » et « encore », « là », et pas mal de mentions au Seigneur.

Stephen embrassa ses aisselles, et Jamie frémit face à cette nouvelle sensation. Comment se faisait-il qu'il ne soit pas au courant que c'était si agréable ? Il était allongé là tandis que Stephen adorait purement et simplement son corps, sa peau le picotant à chaque contact. De temps en temps, Stephen alternait son exploration sensuelle avec des baisers qui faisaient tourner la tête de Jamie et battre son cœur plus vite. Puis il revenait à son exploration.

Jamie n'avait jamais été aussi excité de toute sa vie, et Stephen n'avait même pas commencé à poser un doigt sur son pénis.

Il finira bien par y arriver, non ?

— Tu fais tout le boulot, murmura Jamie alors que Stephen faisait tournoyer sa langue autour de son nombril. Oh Seigneur, c'est incroyable.

Il espérait que le Seigneur ne se souciait pas des circonstances.

Pourquoi le ferait-il ? Son père n'a-t-il pas inventé le sexe en premier lieu ?

Stephen inclina son visage vers lui.

— J'apprécie énormément de faire ce travail. D'ailleurs, tu attends ça depuis 2011, c'est ça ? Tu pourras jouer une autre fois. Ce soir, je compte bien te faire plaisir.

Il descendit jusqu'à ce que ses lèvres ne soient plus qu'à quelques centimètres de la verge de Jamie qui reposait désormais contre sa cuisse.

— Bien que… je ne pourrais même pas te dire à quel point j'ai envie de faire ça.

Puis, il lécha le gland.

Doux Jésus, le regarder faire était incroyable.

Jamie ne parvint pas à arracher son regard de la vue de Stephen qui prenait son sexe entre ses lèvres. Ses battements de cœur s'accélérèrent alors que Stephen s'activait de haut en bas sur sa queue, le prenant plus profondément à chaque mouvement, jusqu'à ce que son nez soit enfoui dans les poils pubiens de Jamie, et sa longueur baignée de chaleur. Jamie caressa les cheveux de Stephen, son souffle ne lui permettant pas de produire plus que des sons alors qu'il voyait son sexe s'allonger et s'épaissir, les doigts de Stephen enroulés autour de sa base.

— Oh… oh oui…

Ces mots lui échappèrent alors qu'il se noyait dans un océan d'excitation, de fourmillements à la surface de sa peau, de son cœur qui battait à tout rompre, de ses membres qui se contractaient et de ses mamelons qui pointaient. Jamie les tordit, les picotements augmentant tandis qu'il se rapprochait de l'orgasme. Et lorsqu'il jouit, il eut l'impression que chacune de ses sensations était intensifiée et faisait naître des frissons de plaisir à travers tout son corps.

Stephen relâcha lentement son érection et se déplaça sur le lit pour s'allonger à ses côtés.

— J'aime ta saveur.

Jamie l'attira dans un baiser profond et enroula ses bras autour de lui pour s'accrocher à lui, tandis que son rythme cardiaque revenait peu à peu à la normale. Il déglutit. Aucun mot ne pourrait être suffisant pour englober les émotions et les pensées qui le submergeaient à ce moment-là.

— Je dois poser une question.

Jamie leva vers lui un regard curieux.

— Vas-y.

— Était-ce ta première pipe depuis l'accident ?

— Vu que je suis incapable de me sucer moi-même ? Oui. Et avant que tu ne poses la question, c'était génial.

Sauf que génial ne convenait pas vraiment. Il n'avait reçu qu'une seule pipe pour pouvoir comparer, et ça s'était terminé en un battement de cœur, pourtant avec Stephen tout semblait être tellement… plus.

Voilà ce qui arrive lorsque les émotions sont impliquées.

— Alors, comment puis-je être évalué sur un score de un à dix ?

Jamie pouvait facilement devenir accro à ce sentiment d'être rassasié, d'être baigné d'une chaleur pure et d'un contentement appréciable.

— Tu obtiens au moins un douze.

Stephen soupira joyeusement, et ce bruit fit battre le cœur de Jamie plus vite.

On dirait que nous sommes heureux tous les deux.

Le sourire de son amant faiblit, et Jamie attrapa son menton entre ses doigts.

— Qu'est-ce qu'il y a ?

— Il est tard, et je travaille demain matin. Je sais que je t'ai dit que nous ne pourrions pas tout faire en une seule nuit, je me montrais raisonnable. Mais…

— Mais ?

Stephen l'embrassa, un baiser lent et insistant qui le fit se sentir étourdi.

— Je ne veux pas que cette soirée s'achève.

Jamie respira plus vite.

— Alors ne mets pas fin à cette nuit. Reste avec moi.

Il cligna des yeux.

— Vraiment ?

Jamie ricana.

— Oui, vraiment. En plus, je ne monopolise pas la couette parce que je ne bouge pas quand je dors. Je ne ronfle pas… du moins, je ne pense pas.

Il caressa la joue de Stephen.

— Et j'adorerais me réveiller près de toi.

— J'adorerais ça moi aussi.

Stephen se rassit.

— Y a-t-il quelque chose que tu aimerais que je fasse ?

Il sourit.

— Oui. Tu peux éteindre toutes les bougies.

Il regarda la table de nuit où se trouvaient toujours la bouteille de lubrifiant et les préservatifs.

— Nous les utiliserons un autre jour.

— Pourquoi pas demain ?

Jamie ricana.

— J'aime ta façon penser.

Alors que Stephen sortait du lit et faisait le tour de la pièce, soufflant les bougies, Jamie l'observa et admira son corps fin et son cul ferme. Cependant, ce qui occupait ses pensées, c'était tout le soin et l'attention dont Stephen avait fait preuve à son égard tout au long de la soirée.

À un moment donné, entre l'arrivée de Stephen à Horn Pond et les dernières heures qu'ils avaient passées ensemble, Jamie était tombé amoureux de lui. Il ne parvenait pas à déterminer le moment exact, et il s'en fichait. Il savait tout simplement qu'il ne voulait pas que cette histoire se termine.

Il avait également conscience qu'il n'avait pas besoin de s'inquiéter quant à un éventuel deuxième rendez-vous. Ce qui lui traversa l'esprit, c'était combien de temps il allait pouvoir se retenir avant de dire à Stephen ce qu'il ressentait vraiment.

Il ne pourrait pas être aussi attentionné et prévenant s'il ne m'aimait pas un peu, si ?

Sauf que Jamie ne désirait pas un peu d'amour.

Il voulait tout avoir.

Chapitre 21

Stephen ouvrit les yeux au son de l'alarme sur son portable. Il n'avait pas envie de bouger. Il était bien au chaud dans une étreinte chaleureuse. Il réalisa alors que cette chaleur provenait du corps occupant l'autre côté du lit.

Cela le fit sourire. Ça faisait tellement longtemps qu'il n'avait pas passé la nuit avec quelqu'un, et il avait très bien dormi.

— C'est tellement injuste.

Stephen roula sur le flanc pour pouvoir faire face à Jamie.

— Bonjour à toi aussi. Qu'est-ce qui est injuste ?

Jamie était adorable avec ses cheveux noirs ébouriffés et l'ombre d'une barbe.

— Toi. Comment oses-tu te réveiller aussi beau ? Même tes cheveux au réveil sont mignons.

Stephen ricana.

— Flash info. J'ai pensé la même chose de toi l'autre jour. Tu dormais, et tout ce que je voulais, c'était te caresser la joue.

— Pourquoi ne l'as-tu pas fait ? J'aurais adoré ça.

Jamie se mordit la lèvre.

— Ce n'est pas ta joue que j'ai envie de caresser ce matin.

Il se hissa sur son coude et jeta un regard vers le bas, là où se trouvait l'érection matinale de Stephen sous les draps. Ce dernier ne put s'empêcher de la contracter un peu, et Jamie poussa un gémissement.

— Seigneur, ta queue fait des pompes.

Il croisa le regard de Stephen en écarquillant les yeux.

— Je peux lui dire bonjour ?

Il se lécha les lèvres. Stephen gloussa.

— Oublie ça. Je travaille, tu te souviens ?

Les yeux de Jamie brillaient.

— Je peux te faire jouir en moins de cinq minutes. Chronomètre-moi.

— Non, je serais en retard.

Mon Dieu, c'était une perspective très tentante.

— Mais tu ne peux pas l'ignorer. Je veux dire, regarde-la.

Stephen lui jeta un bref regard.

— Je survivrai.

Jamie laissa échapper un soupir théâtral.

— Tu me refuserais ma première pipe depuis…

— Pour l'amour de Dieu !

Stephen souleva les draps, révélant son sexe qui se dressa.

— Là. Il est tout à toi. Prends-le.

Non pas qu'il soit véritablement opposé à recevoir une pipe matinale.

Et qu'arriverait-il si je suis en retard ?

Jamie sourit en se redressant.

— Ramène ton cul ici. Assieds-toi à cheval sur moi et accroche-toi.

Stephen chevaucha Jamie, sa queue effleurant les lèvres de son amant.

— Accroche-toi à tout ce que tu peux !

Son sexe fut englouti par la chaleur humide de Jamie. Stephen ne put s'en empêcher. Il s'agrippa à la tête de lit et balança ses hanches d'avant en arrière, veillant à garder ses poussées peu profondes tandis qu'il remplissait la bouche de son amant. À en juger par les gémissements qui s'échappaient des lèvres de Jamie, il semblait apprécier l'expérience tout autant que lui.

— Tu aimes ça ? murmura Stephen. Tu aimes avoir ma queue dans ta bouche ?

Jamie leva les yeux au ciel, comme si ce n'était pas assez évident en soi. Puis il agrippa fermement ses fesses, le propulsant vers l'avant, l'avalant plus profondément.

Merde ! Il n'allait pas tenir deux minutes, et encore moins cinq.

Stephen jouit en poussant un grognement, son sperme se répandant dans la bouche de Jamie, ses mains s'agrippant à la tête de son amant alors que sa queue laissait échapper les dernières gouttes. Il recula de quelques centimètres et frotta son gland contre la lèvre inférieure de Jamie, qui sortit la langue pour le lécher sans la moindre précipitation.

Les jambes de Stephen tremblaient, tout son corps frissonnait.

— Waouh.

Jamie l'attira à lui.

— Je suppose que c'est un bon waouh.

Stephen se pencha pour l'embrasser, goûtant à sa propre saveur.

— Voilà un réveil digne de ce nom. J'aimerais avoir le temps d'en faire plus.

Un autre baiser.

— Plus tard, d'accord ?

Les yeux de Jamie étincelèrent.

— Je penserai à toi en ton absence.

C'était tout ce dont Stephen avait besoin pour sortir du bureau le plus rapidement possible lorsque son travail serait terminé.

— J'ai hâte de te voir ce soir.

— Eh bien, il y a des choses qui doivent se produire avant que ce soir arrive, la première étant moi dans la salle de bain…

— Je dois me préparer pour aller travailler ! protesta Stephen.

— Désolé, mais mon cathéter bat ta douche.

Stephen n'allait absolument pas contester cela.

— La salle de bain est tout à toi, dit-il en se décalant pour que Jamie puisse accéder à son fauteuil. Pourquoi n'as-tu rien dit ?

— Je n'ai pas pu, s'écria Jamie en se dirigeant vers la porte. J'avais la bouche pleine !

Stephen ricana. Il voyait se profiler dans son avenir beaucoup de matinées où il arriverait en retard au boulot.

Je vais devoir régler mon réveil une demi-heure plus tôt.

Son père entra dans son bureau, ferma la porte et s'assit face à lui.

Ce n'est jamais une bonne chose.

Stephen referma le dossier sur lequel il travaillait et accorda toute son attention à son paternel.

— Quoi de neuf ?

— J'allais te poser la même question. Qu'est-ce qui ne va pas chez toi ? Tu as été assez mauvais hier, mais aujourd'hui, c'est encore pire.

Stephen fronça les sourcils.

— Qu'est-ce qui te fait croire que quelque chose ne va pas ?

Son père renifla.

— Chaque fois que j'ai regardé à travers ta porte, tu semblais distrait. Tu n'as même pas remarqué ma présence, je parie.

Le ventre de Stephen se serra. Pas une seule fois. Il se redressa dans son fauteuil.

— Je suis désolé. Tu as raison. J'avais quelque chose en tête.

Oui… Jamie. C'était peut-être parce que toute cette histoire entre eux était si nouvelle qu'il ne parvenait pas à se concentrer suffisamment sur son travail.

Il avait terriblement hâte de retrouver son amant.

— Stephen ?

Voilà qu'il recommençait. Son père secoua la tête.

— Je ne sais pas où s'échappe ton esprit, mais c'est évidemment plus intéressant qu'ici.

Son expression s'adoucit.

— Est-ce que je t'en demande trop ? C'est ça ? Aucun de nous n'a pu prendre de congés depuis que nous avons ouvert, et tu travaillais déjà si dur pour ouvrir l'entreprise depuis la Californie.

— Je ne travaille pas plus que toi.

Son père hocha la tête.

— Peut-être que tu devrais faire une pause. Aller quelque part. Te détendre.

Stephen le regarda avec de grands yeux.

— D'accord, qui êtes-vous et qu'avez-vous fait de mon père ?

Faire une pause ?

Son père ricana.

— Suis-je vraiment aussi terrible ? Sérieusement, fiston, tu as bien mérité un break. Mais après ça ? Nous devrons travailler comme des Troyens jusqu'aux fêtes, tu as compris ?

— Compris.

Stephen se rappela alors les paroles de Jamie l'autre jour. Il avait mentionné le fait de prendre des vacances. Une idée commença à germer sous son crâne. Une idée parfaitement merveilleuse.

— Stephen ?

— Monsieur ?

Son père lui sourit.

— Je pense que tu étais déjà parti quelque part, à

planifier un voyage. Tu penses que tu pourrais le faire pendant ton temps libre ?

— Oui.

Son père se leva.

— Dis-moi ce que tu décideras.

Sur ces paroles, il quitta son bureau. Stephen récupéra de son portable et parcourut sa liste de contacts.

Il avait un voyage à planifier.

— Jamie ? Tu as une minute ? s'écria Stephen en fermant la porte d'entrée derrière lui.

— Pour toi ? Plusieurs, répondit Jamie depuis le salon. Il y a de la bière dans le frigo. Je suis allé faire des courses.

Stephen retira sa veste.

— J'espère que tu n'as pas acheté trop de provisions.

Il se rendit à la cuisine et ouvrit le réfrigérateur. Pas trop, heureusement. Jamie entra dans la cuisine.

— Tu m'intrigues.

Stephen sortit deux bouteilles de bière et les ouvrit. Il en tendit une à Jamie et prit place autour de la table.

— J'ai une surprise pour toi.

Il espérait de tout cœur que Jamie apprécierait l'idée. Ce dernier avala une gorgée, puis jeta un coup d'œil spéculatif dans sa direction.

— Qu'est-ce que tu manigances ?

— Tu te souviens, l'autre jour, lorsque tu as dit que tu envisageais de prendre de courtes vacances ?

Stephen avala à son tour une gorgée de bière.

— Eh bien… que dirais-tu de passer une semaine en Floride ?

Jamie fronça les sourcils.

— Hein ?

— Tu as bien entendu. Une semaine en Floride. Départ samedi. Notre hébergement est déjà réservé. Je n'ai qu'à finaliser les vols.

— Tu as réservé un logement… avant même de me poser la question ?

Jamie écarquilla les yeux.

— Ta grand-mère ?

Stephen hocha la tête, l'excitation bouillonnant en lui devant la joie évidente qui illuminait le visage de Jamie.

— Elle a hâte que nous lui rendions visite. Alors… qu'en dis-tu ? Nous en avons besoin tous les deux.

Jamie fronça à nouveau les sourcils.

— Est-ce que tu en as parlé avec ton père ?

— Bon sang, tu ne me croiras jamais, mais c'était son idée.

Jamie n'avait pas besoin de connaître le reste de sa conversation avec son père :

— *Est-ce que tu comptes y aller en voiture ?*

Stephen avait secoué la tête.

— *Nous prendrons l'avion.*

Son père s'était immobilisé.

— *Nous ?*

— *Bien sûr. J'emmène Jamie avec moi.*

Son père avait froncé les sourcils.

— *Pourquoi ? Cela ne va-t-il pas compliquer ton voyage ? Je veux dire, c'est déjà assez compliqué de prendre l'avion ces temps-ci, sans ajouter un passager handicapé. Il y a une foule de choses qu'il te faudra régler avec la compagnie aérienne avant même qu'il ne puisse grimper à bord de l'avion. Et qu'en est-il de son fauteuil roulant ?*

Stephen avait eu tellement envie de pointer l'insensibilité de son père, mais il s'était mordu la langue pour se retenir. Il avait à la place pris une grande inspiration.

— *Je me suis déjà entretenu avec la compagnie aérienne. Je dois simplement les informer du moment où je réserverai notre vol. Papa ?*

Stephen l'avait regardé droit dans les yeux.

— *Je ne verrai jamais Jamie comme une complication, d'accord ?*

Son père eut la grâce de paraître penaud.

— *D'accord. Ce sont tes vacances, après tout.*

— Stephen ?

Il revint au moment présent. Jamie lui souriait.

— Tu t'imagines déjà sur une plage, n'est-ce pas ?

— Tu m'as eu.

Mieux valait le laisser penser cela.

— Alors, tu aimes l'idée ?

— Si j'aime l'idée ? Je l'adore !

Jamie sortit précipitamment de la cuisine.

— Où est-ce que tu vas ?

— Commencer à faire mes bagages. Je dois voir ce que je compte prendre.

— Nous avons encore quelques jours devant nous.

Stephen sourit. Jamie était un grand enfant. Il réalisa alors que l'excitation de Jamie était contagieuse.

Peut-être qu'il faut que je fasse mes valises moi aussi.

Jamie était au paradis. Stephen se trouvait dans ses bras.

Je ne veux plus jamais dormir seul.

— À quoi tu penses ?

Stephen semblait déjà être en train de somnoler. Ce qui n'était pas surprenant, étant donné l'heure qu'il était.

— À la manière dont les choses se sont déroulées.

— Tu es heureux ?

Stephen embrassa sa nuque, et Jamie frissonna.

— Oui, et si tu continues à agir ainsi, je le serai encore plus.

Stephen caressa doucement ses bras, faisant naître la chair de poule sur sa peau.

— Puis-je te demander quelque chose ?

Jamie soupira.

— Vu l'humeur dans laquelle je me trouve actuellement ? Tu pourrais me demander n'importe quoi.

— Il y a quelque chose que je ne comprends pas. Tu es intelligent. Magnifique. Talentueux. Sexy.

Jamie ricana.

— Continue comme ça, tu es sur la bonne voie.

— Crétin. Ce que je veux savoir, c'est pourquoi tu n'as pas eu de vrai rendez-vous ?

Il soupira.

— J'ai eu de nombreux rendez-vous. Le seul problème, c'est que, comme je l'ai déjà dit, il s'agissait uniquement de premier rendez-vous et ils n'avaient probablement rien à voir avec ceux que tu as pu avoir.

Mon Dieu, comment pouvait-il s'expliquer ?

— Nous savons tous comment un premier rendez-vous est censé se dérouler, pas vrai ? S'échanger des regards par-dessus la table à manger ? Un regard où on se sent désiré ? Puis, il y a les rendez-vous foireux. Ceux dont on veut absolument s'échapper.

Il soupira, son esprit rejouant les silences maladroits, les regards, les conversations étouffées.

— Nous avons tous eu des rendez-vous comme ça. Imagine si chacun de tes rendez-vous se déroulait de cette manière. Qu'il ne faille pas longtemps pour que tu réalises que ces hommes t'ont invité à sortir simplement par curiosité. Pour savoir ce que cela ferait de sortir avec une personne handicapée… et bien évidemment, aucun d'entre eux ne souhaitait avoir un second rendez-vous. Peut-être qu'ils s'imaginaient à quoi ressemblaient mes jambes sous mon pantalon. Ou peut-être ont-ils pensé que j'étais mutilé et déformé en dessous ? Pourtant, tout ce qu'ils avaient à faire, c'était de poser la question, et je leur aurais répondu en un battement de cœur.

— Ils n'ont pas la moindre idée de ce qu'ils ont raté, déclara doucement Stephen. Tu es un homme magnifique, à l'intérieur et à l'extérieur.

— Tu aimes mon apparence, hein ? plaisanta Jamie.

Il repoussa ses souvenirs, parce qu'il ne voulait plus de cette douleur sous son crâne. Puis il haleta lorsque Stephen glissa sa main plus bas, jusqu'à ce que ses doigts se retrouvent entre ses fesses.

— L'intérieur pourrait être tout aussi agréable.

La respiration de Jamie s'accéléra, tout comme les battements de son cœur. Encore une grande première.

— Est-ce que c'est ce que tu veux ? Je veux dire, il est tard. Tu n'es pas encore en vacances. Nous…

Stephen le fit rouler sur le dos, et Jamie soupira lorsqu'il se retrouva ainsi cloué contre le matelas.

— Est-ce que tu veux que je sois en toi ?

Jamie réussit à faire une grimace.

— C'est une question rhétorique, pas vrai ?

Stephen ricana.

— Je suis un homme amusant.

Jamie enroula ses bras autour de la nuque de Stephen.

— Bien sûr que je te veux en moi. Mais nous pourrions avoir besoin d'accessoires.

Stephen embrassa le bout de son nez.

— Je m'en occupe. Attrape le lubrifiant.

Il observa Jamie de près.

— Sommes-nous prêts à y aller, ou as-tu besoin de…

— Tout va bien, lui assura Jamie. Maintenant, va chercher ce dont nous avons besoin dans le placard.

Mon Dieu, son cœur battait terriblement vite. Alors que Stephen sortait du lit et le contournait, Jamie jeta un coup d'œil à son entrejambe, où sa queue durcissait déjà.

— Au cas où cela t'intéresserait, je pense que tu donnerais du fil à retordre à Reece.

Stephen n'était pas aussi long, Dieu merci, mais il était certainement plus épais.

Nous allons avoir besoin de beaucoup de lubrifiant…

— Tu es prêt ?

Jamie croisa son regard.

— Est-ce que j'ai l'air de l'être ?

Ses chevilles reposaient sur les épaules de Stephen, son cul était relevé au bord du lit. Stephen se tenait entre ses jambes, son érection gainée dans un préservatif, scintillante de lubrifiant.

Stephen sourit.

— Tu es magnifique.

Puis il se pencha, jusqu'à ce que Jamie ait ses genoux pratiquement au niveau de ses oreilles et l'embrassa. Jamie s'agrippa à son crâne et l'attira à lui pour un baiser plus profond, y déversant tout le désir et le besoin qui faisaient rage en lui.

— Maintenant, murmura-t-il contre les lèvres de Stephen.

Jamie apprécia de lire la petite lueur de crainte dans le regard de son amant, tandis qu'il se frayait lentement un chemin dans son corps, jusqu'à ce que la peau rencontre la peau et que Stephen soit entièrement en lui.

— Oh mon Dieu, gémit-il. Tu es tellement serré…

— Et toi, tu es magnifique…

Ils échangèrent baiser après baiser, sans perdre une seule seconde la connexion entre eux alors que Stephen allait et venait en lui à un rythme désormais régulier, tout en caressant le torse de Jamie d'une main et le masturbant de l'autre.

— Parle-moi, exigea Jamie, qui avait besoin d'entendre le son de sa voix.

Le visage de Stephen n'était qu'à quelques centimètres du sien.

— Tu veux savoir à quel point j'aime être en toi ?

Il lui donna quelques coups de reins, terriblement lentement.

— À quel point j'aime que ton sexe soit dur dans ma main ?

Dedans. Dehors.

— Combien les petits bruits que tu fais m'excitent ?

Ces magnifiques yeux bleu-vert se verrouillèrent sur lui.

— Comment il me suffit de te regarder pour savoir que tu aimes ce moment autant que moi ?

— Oui, murmura-t-il, ses doigts tirant sur les poils qui recouvraient le torse de Stephen.

Il adorait cette sensation.

— Plus.

Stephen l'embrassa, désormais avec bien plus de désir et de ferveur, accélérant le rythme de ses hanches.

— Est-ce que c'est mieux ?

Il haleta entre deux baisers. Jamie hocha la tête, incapable de détourner le regard alors que Stephen prenait son visage en coupe entre ses mains, tout en remuant implacablement des hanches. Le cœur de Jamie battait de plus en plus vite. Peu importait où Stephen embrassait son corps, il faisait naître la chair de poule sur sa peau, comme si chaque centimètre du corps de Jamie était devenu une zone érogène.

Il poussa de petits cris tandis que Stephen accélérait, et il comprit qu'ils étaient proches tous les deux. Quand Stephen se crispa, son érection enfoncée en lui jusqu'à la garde, Jamie jouit à son tour, les larmes aux yeux, en entendant les gémissements de plaisir qui échappaient à Stephen.

Leurs regards ne se quittèrent jamais, même quand Jamie ramassa un peu de son sperme pour le porter aux lèvres de son amant.

Puis Stephen s'effondra une fois de plus dans ses bras, ses lèvres sur les siennes, le corps tremblant, faisant écho aux frissons qui recouvraient sa propre peau.

Jamie laissa alors échapper un long soupir heureux.

— Seigneur, c'était tellement plus agréable sans l'écorce de l'arbre dans mon dos.

Chapitre 22

Stephen poussa un soupir heureux lorsque le taxi s'éloigna de l'aéroport.

— Mon Dieu, ça m'a manqué.

Le ciel était si bleu que cela lui faisait mal aux yeux de le regarder. La température devait avoisiner les vingt degrés. Ce qui était parfait. Ça n'avait carrément rien à voir avec le froid actuel de Boston.

Jamie ricana.

— As-tu ressenti les symptômes du sevrage ? Le soleil et la chaleur de Californie t'ont manqué ?

— Oui !

— Je crois que j'ai une solution. Pendant l'été, tu pourras aller voir Marie et les enfants. En réalité, tu pourras y aller n'importe quand.

Jamie sourit.

— Je viendrai avec toi, bien sûr.

Stephen rétrécit son regard dans sa direction.

— Laisse-moi deviner. Tu veux faire du ski nautique.

Il sourit.

— Tu me connais beaucoup trop bien.

Jamie contempla à travers la vitre le paysage qui défilait.

— Nous pourrions également passer des vacances ici. Il y a une communauté gay florissante à Fort Lauderdale.

— Pourquoi voudrais-tu fréquenter d'autres gays ? Je suis passé par là, j'ai fait ça, j'ai…

Jamie s'empressa de lui tendre la main et de le faire taire en posant un doigt sur ses lèvres.

— Non, ajouta-t-il tout bas. Cette vie est terminée. Et tous les hommes gays ne sont pas comme les connards avec qui tu es sorti, d'accord ?

Il retira sa main.

— Un jour, je t'emmènerai en Californie pour te le prouver.

Stephen soupira.

— Pourquoi diable voudrais-je y retourner ?

— Peut-être qu'un jour, tu auras envie de détruire ces démons qui te perturbent encore l'esprit.

Jamie l'observa avec attention.

— Vas-tu un jour me dire ce qui t'est arrivé ?

— Non.

Stephen lui tapota le genou.

— Crois-moi, tu ne veux pas le savoir. Tu te mettrais en colère, ou tu aurais envie de me venger, et ça ne te ressemble pas, bébé. Alors reste mon soleil, Jamie, d'accord ?

Ce dernier lui sourit.

— Oui, je peux le faire.

Le taxi s'arrêta devant la maison et Stephen paya le chauffeur, qui sortit ensuite pour installer la rampe pour Jamie. La porte d'entrée s'ouvrit tandis que Jamie sortait du taxi, et sa grand-mère se tenait dans l'entrebâillement, rayonnante.

— Je vérifiais en ligne si votre vol était arrivé à l'heure, dit-elle, alors que Stephen s'avança vers elle, laissant tomber les bagages dans sa cour.

Elle ouvrit grand les bras et tordit le cou pour pouvoir le regarder.

— Mon Dieu, je jure que tu es encore plus grand que la dernière fois que je t'ai vu.

Elle le prit dans ses bras.

— Grand-mère, c'était il y a seulement trois ans, je n'ai pas grandi depuis.

Il lui adressa un petit sourire.

— Je pense que c'est toi qui as rétréci.

Ses cheveux étaient un peu plus blancs et elle les portait plus courts qu'il ne s'en souvenait, mais mis à part ça, elle n'avait pas changé.

— Malheureusement, c'est vrai. J'ai perdu quelques centimètres. Ils se trouvent quelque part par ici.

Ses yeux scintillaient.

— Donc, si tu les croises pendant ton séjour, dis-leur que je veux les récupérer.

— Je veux mon câlin, déclara Jamie en roulant vers elle.

Le taxi était déjà parti. Elle l'observa avec de grands yeux avant de déglutir.

— Oh mon Dieu. Regarde-toi.

Elle lâcha Stephen et se précipita vers lui, enroulant ses bras autour de ses épaules.

— Ça fait si longtemps.

Sa grand-mère inclina son menton et le regarda dans les yeux.

— Voilà le Jamie dont je me souviens. Mon petit rigolo.

Stephen ne rata pas l'étincelle qui s'illumina dans les yeux de Jamie.

— C'est bon de vous voir aussi, madame Welsch.

Sa grand-mère fronça les sourcils en s'écartant.

— La dernière fois que je t'ai vu, tu m'appelais grand-mère, si je me souviens bien. Oublie donc ce madame Welsch. J'ai préparé vos chambres, vous partagerez une salle de bain, mais je suppose que cela ne vous dérangera pas, étant donné que vous partagez déjà une maison.

Stephen n'avait pas l'intention de dormir dans son propre lit, mais ce n'était pas quelque chose qu'il comptait partager avec sa grand-mère. Il jeta un coup d'œil vers la maison.

— Ce sera facile à gérer.

Jamie hocha la tête.

— Je pourrais avoir à utiliser la salle de bain tout de suite.

Sa grand-mère s'écarta.

— Alors, rentrons. Je vous ai préparé le déjeuner, et après, nous pourrons aller nous installer près de la piscine.

Jamie sourit.

— Génial. J'ai apporté mon maillot de bain.

Stephen leva les yeux au ciel.

— Attends de le voir, grand-mère. Il est plein

d'imprimés de beignets.

— Qu'y a-t-il de mal à cela ? répliqua-t-elle.

Elle regarda Stephen faire rouler le fauteuil de Jamie jusqu'aux marches, et jusqu'à la maison. Stephen alla ensuite chercher les bagages, juste à temps pour voir sa grand-mère essayer de soulever celui de Jamie.

— Hé, laisse ça. Je vais le faire.

Il s'empara des deux valises.

— Je n'ai aucune idée de ce qu'il a emballé. Avais-tu vraiment besoin d'un sac de cette taille pour juste une semaine ?!

— Oui. Et ne l'ouvre pas.

Stephen secoua la tête en riant. Sa grand-mère les suivit dans la maison.

— Vous avez choisi le moment parfait pour nous rendre visite. Il y aura une course de 5 km à Deerfield Beach demain, pour venir en aide aux clubs de filles et de garçons du comté de Broward.

— Est-ce qu'il y a des bancs ? Parce que sinon, je pourrais m'asseoir dessus, dit Jamie avec un sourire.

— Il y a également un festival de la récolte au Flamingo Gardens demain, si vous souhaitez une activité plus calme.

Son regard étincela.

— Je ne pense pas que l'un de vous s'intéresse de près à l'Oktoberfest qui commence samedi prochain.

Stephen sourit.

— Bratwurst, schnitzel et strudel… Oh mon Dieu !

— Tu peux te charger des saucisses… je me contenterai de la bière blonde.

Jamie s'adressa à sa grand-mère avec une expression douce sur le visage.

— Oui, vous avez raison, nous détesterions cela.

Elle ricana.

— Tu n'as pas changé, n'est-ce pas ?

Elle désigna deux portes.

— Voici vos chambres. Pas de bagarre pour savoir qui obtient laquelle. Arrangez-vous calmement, s'il vous plaît. Nous mangerons avant que vous commenciez à déballer.

Puis elle les laissa faire. Stephen ouvrit la porte la plus proche et entra, se dirigeant vers le lit pour y déposer les sacs.

— La salle de bain se trouve entre deux portes communicantes, si je me souviens bien. Je ferais mieux de vérifier.

Il s'y rendit, regarda à l'intérieur, puis se figea.

— Oh, grand-mère.

Sa poitrine se gonfla d'amour.

— Qu'est-ce qu'il y a ?

Jamie s'approcha à son tour et jeta un coup d'œil à l'intérieur.

— Mon Dieu, elle n'a pas fait ça. Cette douce femme.

À cheval sur la baignoire se trouvait un banc de transfert, identique à celui que Jamie avait à la maison, ainsi qu'une rampe qui s'abaissait juste à côté des toilettes.

— Elle n'avait pas besoin de se donner tant de mal, s'exclama Stephen.

— Ce n'était rien du tout, leur provint la voix de sa

grand-mère derrière lui.

Elle entra dans la pièce et se posta à côté du fauteuil de Jamie.

— C'est vraiment facile de les louer ici. As-tu une idée du nombre de personnes âgées qu'il y a dans les alentours ?

Jamie lui attrapa la main et l'embrassa.

— C'est vraiment généreux de votre part. Merci.

Il serra sa main entre la sienne.

— Maintenant, je vois de qui Stephen tient ça.

— Tenir quoi, mon chéri ?

Il sourit.

— Sa considération pour les autres. La façon dont il prend soin des gens. La manière dont il les traite.

Elle embrassa le sommet de sa tête.

— J'espère bien que tout le monde possède ces qualités.

Elle tapota le bras de Stephen avant de quitter la pièce.

— J'aime ta grand-mère, déclara Jamie.

Puis, il jeta un coup d'œil à la chambre.

— Les lits sont-ils de la même taille ?

— Je vais vérifier, répondit Stephen en souriant. Si l'un d'entre eux est plus grand, tu pourras l'avoir.

— Tant que je n'aurai pas à y être seul, répondit-il à voix basse.

— Compte là-dessus.

Stephen se pencha et l'embrassa, sans prendre la peine de rester chaste.

— Mince, murmura Jamie contre ses lèvres. Est-ce

que c'est déjà l'heure d'aller au lit ?

Stephen rit de bon cœur.

— Hé, tu dois d'abord me voir dans mon speedos avant ça.

Les yeux de Jamie s'écarquillèrent

— Tu as apporté un speedos ? Qu'essaies-tu de faire ? Me torturer ?

Stephen hocha la tête avec joie.

— Je compte m'allonger au bord de la piscine, murmura-t-il, songeant à glisser ma queue en toi, et tu sauras exactement quand j'y penserai, parce que je serai tellement dur que ce sera impossible à manquer. Ensuite, j'irai nager et quand je sortirai, le tissu de mon maillot de bain sera presque transparent et moulera mon érection et…

Jamie haleta.

— Espèce de salaud. Tu te moques de moi !

Stephen remua son doigt.

— Uh-huh. Pas de jurons dans la maison de grand-mère, s'il te plaît. Parce qu'elle te lavera la bouche avec du savon, tu te souviens ?

Il n'avait certainement pas oublié. Stephen le regarda innocemment.

— Ne voulais-tu pas utiliser les toilettes ?

Jamie laissa échapper un bruit qui ressemblait à un grognement.

— Je m'occuperai de ton cas plus tard.

Il dépassa Stephen pour se rendre vers le lit, fouilla dans son sac jusqu'à ce qu'il trouve le conteneur avec tous ses accessoires, puis se rendit dans la salle de bain et claqua la porte.

— Ooooh, j'ai vraiment peur, déclara Stephen.

— Quel âge as-tu ? s'écria Jamie. Maintenant va-t'en. Je suis… occupé.

Stephen le laissa faire et se mit à déballer leurs bagages. Il se sentait plus léger qu'il ne l'avait été depuis des siècles, et c'était entièrement dû à la perspective de passer une semaine entière au soleil en compagnie de Jamie, sans avoir à se lever pour travailler et en ayant toutes les nuits pour lui faire l'amour.

Tant qu'ils ne faisaient pas trop de bruit…

Il s'empara des sacs et les plaça sous le lit. Il ouvrit celui de Jamie et ne put s'empêcher de sourire en regardant à l'intérieur.

Je me demande ce que la sécurité a pensé lorsqu'ils l'ont passé au scanner à bagages ?

— Allez, exhorta Jamie. Je ne sais pas combien de temps ça va durer.

Il garda son oreille tournée vers la porte, convaincu que grand-mère était sur le point de frapper à tout moment, exigeant qu'ils fassent moins de bruit. Jamie pensait qu'elle n'avait pas besoin de ce genre de vision, surtout à une heure du matin.

— J'essaie, d'accord ? Mais c'est délicat.

Stephen avait déjà fait passer ses pieds, donc tout ce qu'il avait à faire désormais était de chevaucher

Jamie et de poser les pieds sur le lit derrière son fauteuil.

— Comment s'appelle cette position déjà ? murmura-t-il.

— Le bretzel assis.

Il tira sur son membre, faisant ainsi de son mieux pour maintenir son érection. Il devait rester suffisamment dur pour pouvoir entrer en lui. Il n'y avait aucun moyen qu'ils attendent que le Viagra fonctionne, mais au moins, il avait l'anneau pénien, ce qui aidait très certainement. Il devait s'enfoncer dans le cul de Stephen, genre maintenant.

Stephen s'agrippa aux accoudoirs de son fauteuil, se soulevant tandis que Jamie guidait son sexe jusqu'à son entrée.

— Maintenant ? demanda-t-il.

— Maintenant.

Jamie poussa un petit gémissement lorsque Stephen s'empala sur son érection.

— Putain, c'est bon.

Stephen enroula ses bras autour de lui et colla leurs torses ensemble.

— D'accord, accroche tes pieds sur le bord du lit pour pouvoir pousser.

— Merde. Ce n'est pas facile.

Stephen monta et descendit. Jamie dut admettre que la friction était fantastique, à en juger par son expression faciale.

— Laisse-moi t'aider.

Jamie prit appui sur les accoudoirs de son fauteuil et se souleva pour rencontrer Stephen.

— J'ai toujours su que… travailler le haut du corps…

Bon sang, Stephen avait l'air d'être en extase, son corps était crispé et ses yeux rivés sur les siens.

— Merde.

Stephen gémit.

— C'est fini ?

— Je crois.

Il avait su que son érection ne tiendrait pas le coup, mais il avait espéré pouvoir bénéficier d'un peu plus de temps. Jamie s'accrocha à Stephen, leurs lèvres se rencontrèrent dans un baiser fervent, sa queue toujours enfoncée en lui. Stephen ne s'écarta pas pour le lâcher, enroulant au contraire ses bras autour du cou de Jamie pour l'embrasser plus tendrement.

Puis Stephen commença à rire. Bon sang, Jamie, lui, ne voyait pas le côté drôle de la chose.

— La prochaine fois ? Nous planifierons un peu mieux les choses.

Stephen prit son menton entre ses mains.

— Mais c'était amusant.

— Et tu sais ce qui serait encore plus amusant ?

Jamie sourit.

— Tu as déjà pris un bain de minuit ?

— Tu plaisantes ? Elle va se réveiller.

— Vis un peu !

Jamie s'imaginait déjà baigner dans l'eau fraîche, les bras de Stephen enroulés autour de lui alors qu'ils s'embrassaient tous deux au clair de lune. Il rencontra le regard de Stephen.

— Je te mets au défi.

Stephen leva les yeux au ciel.

— Un de ces jours, tu vas dire ça et je ne céderai pas.

— Mais ce jour n'est pas arrivé, devina Jamie.

Stephen l'embrassa lentement.

— Non, ce jour n'est pas arrivé.

Jamie lui offrit un autre baiser, se rappelant la chance qu'il avait d'avoir cet homme dans sa vie.

Chapitre 23

La chose la plus difficile à propos d'être avec sa grand-mère était de ne pas pouvoir toucher Jamie, conclut Stephen. Ils étaient assis à la table du petit déjeuner, à boire du café et à manger des œufs, du bacon, des saucisses, avec des muffins anglais grillés, et tout ce que Stephen désirait faire était de prendre la main de Jamie dans la sienne de temps en temps. Il voulait simplement le toucher. Peut-être pour vérifier que tout ceci était bien réel.

Sa grand-mère s'éclaircit la gorge.

— Il y a quelque chose que vous voulez me dire ?

Jamie jeta un rapide coup d'œil dans sa direction, mais ne dit rien. Stephen lui lança un regard perplexe.

— Excuse-moi ?

Elle s'essuya les lèvres avec sa serviette, puis s'installa confortablement sur sa chaise.

— Oui, je suis peut-être vieille. Mes os craquent facilement et me font mal quand il pleut. Je ne suis plus aussi vive qu'avant.

Son regard brillait.

— Et ne parlons même pas de la qualité de mon ouïe. Toutefois, je suis insomniaque. Alors, je répète :

voulez-vous me dire quelque chose ?

Ses lèvres tremblèrent. Jamie renifla.

— Nous nous sommes fait griller.

Sa grand-mère ricana.

— Oui. Pouvez-vous me dire depuis combien de temps ça dure ?

Stephen ne comptait pas admettre qu'ils étaient en couple depuis moins d'une semaine. Il ne pensait pas qu'elle approuverait qu'ils se sautent dessus ainsi aussi rapidement. Il devait admettre qu'il était encore sous le choc d'apprendre qu'elle prenait si bien les choses.

— Stephen ?

Il jeta un coup d'œil de l'autre côté de la table en direction de Jamie.

— Je suis heureux pour la première fois de ma vie.

Le visage de Jamie s'illumina, et cela fit naître un intense sentiment de chaleur à l'intérieur de Stephen. Sa grand-mère soupira.

— Je prends ça pour un oui.

— Tout ce dont il avait besoin, c'était de moi dans sa vie, répliqua Jamie en souriant.

— Évidemment.

— Tes parents sont-ils au courant ?

Stephen secoua la tête.

— C'est la prochaine étape. Cette semaine, nous voulions respirer un peu avant de le leur annoncer.

— Une sorte de lune de miel sans mariage, ajouta Jamie.

Il jeta un coup d'œil à sa grand-mère.

— Vous prenez très bien la nouvelle.

— Laquelle ? Que Stephen a un compagnon masculin ? Je savais pertinemment que ça allait arriver. Pour ce qui est de ce que j'ai entendu hier, nous n'allons pas en discuter.

Elle toussota.

— Bien que je puisse suggérer à l'un de vous d'utiliser un bâillon à l'avenir, si l'envie... vous prenait au milieu de la nuit.

Stephen fut à peu près certain que sa mâchoire s'était brisée en heurtant le sol.

— Grand-mère ?

Elle lui accorda un regard franc.

— Tu n'as pas vu mes voisins, Ed et Roy, pas vrai ? Crois-moi, si c'était le cas, tu ne serais pas du tout surpris que je sois au courant de ce genre de choses. Tu aurais vraiment dû mieux planifier votre voyage.

Elle sourit.

— Le bal masqué tout de cuir vêtu ne se déroule pas avant le mois prochain !

Le silence se fit pendant un court instant, seulement brisé par l'exclamation de Jamie.

— Maintenant, je sais à qui vous me faites penser. Betty White !

Elle lui sourit.

— Je vais prendre ça comme un compliment. Maintenant, revenons-en à vos parents... pensez-vous devoir faire face à une résistance en leur apprenant la nouvelle ?

— Pas de mon côté, répondit Jamie, l'expression de son visage s'assombrissant.

Stephen ne le blâma pas d'avoir une telle réaction.

— Je ne pense pas que mes parents seront ravis.

Sa grand-mère haussa les épaules.

— Tu ne m'apprends rien. Après tout, je connais ma fille. Pourtant, ils devraient l'être.

Elle termina son café.

— Maintenant, quels sont vos projets pour la journée ?

— Paresser près de la piscine ? suggéra Jamie. Lire ? Nager ?

Stephen pensait que tout cela sonnait bien. Après avoir observé Jamie nager la veille, il avait été encore une fois de plus en admiration devant son petit ami. Jamie vivait sa vie au maximum.

Et s'il peut faire face à une vie comme la sienne, avec tout ce qu'il a dû affronter, alors moi aussi.

— Malheureusement, je ne serai pas très présente aujourd'hui, annonça sa grand-mère en ramassant les assiettes du petit déjeuner. Je comptais passer la journée avec vous, mais un ami a appelé. Il veut aller à la fête de la moisson et j'ai accepté de l'accompagner. Je crains de ne pas être de retour avant le dîner de ce soir.

Elle jeta un coup d'œil à travers la fenêtre donnant sur la cour arrière.

— Dommage. Ce sera une journée agréable pour prendre un bain de soleil.

Elle capta alors le regard de Stephen.

— J'adore mon jardin. Non seulement pour ses parterres de fleurs et sa piscine, mais aussi parce qu'il est si agréable de ne pas pouvoir être espionné par ses voisins, pas vrai ?

Sa grand-mère désigna ensuite le lave-vaisselle.

— Pourriez-vous le remplir, s'il vous plaît, avant d'aller à la piscine ? Merci.

Et avec cela, elle quitta la cuisine. Jamie l'observa, bouche bée.

— Putain, j'aime ta grand-mère.

— Ton langage, s'il te plaît, s'écria cette dernière depuis sa chambre. Je sais où se trouve le savon !

Stephen ricana.

— Elle avait tort au sujet de son ouïe. Elle va très bien.

— Elle nous laisse la maison pour nous seuls. Et elle a également dit que nous pouvions nous baigner dans la piscine, parce que personne ne peut regarder dans le jardin.

Stephen ne pensait plus à nager. Il pensait à s'allonger entièrement nu sur une serviette, le soleil le réchauffant de partout, Jamie à ses côtés.

— Est-ce que tu as apporté de la crème solaire ?

Jamie lui posa cette question en se dirigeant vers le comptoir pour commencer à remplir le lave-vaisselle.

— Oui. Je vais aller chercher une serviette.

Stephen s'approcha derrière lui et se pencha pour chuchoter à son oreille :

— J'apporterai aussi le lubrifiant.

La respiration de Jamie s'accéléra de manière délicieuse.

Il répondit tranquillement :

— Le Viagra se trouve dans ma trousse de toilette. Je ne peux en prendre qu'une fois par jour, alors prends une décision… cet après-midi ou ce soir ?

Il fallut moins de deux secondes à Stephen pour se

décider.

— Je vais le prendre. Deux cachets, c'est ça ?

Jamie ricana.

— Comme toujours, tu apprends vite.

Stephen embrassa son cou et apprécia le frisson qui le traversa.

— Ce soir, je m'enfouirai en toi.

Un autre frisson s'ensuivit, cette fois-ci beaucoup plus prononcé.

— Crois-moi, si tout fonctionnait comme c'est censé le faire, je serai dur comme un roc en cet instant.

— C'est pour ça que je vais apporter du Viagra. Je veux que tu sois vigoureux dans environ une heure.

Il entendit alors sa grand-mère s'agiter dans sa chambre.

— À condition qu'elle soit partie ici là.

La dernière chose qu'ils désiraient avoir, c'était un public.

Le soleil réchauffait son dos et de la sueur coulait sur le torse de Jamie alors qu'il était allongé sous Stephen sur une serviette. Le visage et le cou de Jamie étaient rougis et ses rougeurs s'étendaient plus bas. Ses mains étaient posées sur les cuisses de Stephen et les caressaient tandis que Stephen s'accroupissait sur lui, s'empalant encore et encore sur sa queue.

Putain, ça fait du bien.

— Je pourrais faire ça toute la journée, murmura-t-il en s'enfonçant lentement sur la hampe rigide de Jamie.

— Depuis combien de temps penses-tu que nous faisons ça ? répliqua Jamie dans un soupir.

Il inspira alors profondément tandis que Stephen accélérait le rythme.

— Oh Seigneur, oui. Comme ça. Dieu bénisse le Viagra.

— Amen.

Stephen faisait tout le travail, mais ça valait le coup de voir à quel point Jamie était magnifique lorsqu'il était allongé là, l'ombre de son corps retombant sur lui.

— Est-ce que c'est différent ? Sans le préservatif, je veux dire ?

Lorsque Stephen hocha la tête, Jamie sourit.

— C'est une bonne différence ?

— J'aime savoir qu'il n'y a rien entre nous, admit Stephen.

Ça devait être une des décisions les plus rapides auxquelles ils avaient été confrontés, et une décision qu'aucun d'entre eux ne regrettait. Se faire tester ensemble faisait partie de l'intimité. La respiration de Jamie était désormais superficielle, alors que son regard était fixé sur le visage de Stephen.

— Tu veux savoir ce qu'il y a de mieux dans toute cette histoire ?

— Dis-moi.

— J'observe ton visage quand je suis en toi. Je perçois chacune de tes réactions lorsque j'en sors et que je suis au plus profond de toi. J'entends les bruits que tu fais, ces petits gémissements lorsque tu es rempli de mon sexe…

Il sourit.

— Je contemple ta queue s'agiter dans tous les sens parce qu'elle est tellement dure.

Son sourire devint éclatant.

— Et puis, il y a ce frisson à l'idée d'être surpris par Ed et Roy, qui choisiraient ce moment pour passer la tête par-dessus la clôture…

Son regard scintilla.

Stephen ricana et poussa Jamie hors de son corps. Ce dernier guida rapidement sa queue à l'endroit où elle devait être, puis reposa ses mains sur les cuisses de Stephen.

— Je pense que je suis sur le point de fondre dans une flaque de sueur ou de foutre… je ne suis pas sûr de comment je vais finir pour l'instant.

Stephen posa ses genoux de chaque côté du corps de Jamie et commença à se basculer d'avant en arrière, gagnant de l'élan. Il se pencha ensuite pour l'embrasser.

— Jouis, le supplia Jamie. Jouis. Laisse-moi tout sentir.

Stephen se redressa, ses doigts s'enroulèrent autour de son érection pour se masturber et ses testicules se contractèrent lorsqu'il approcha de la jouissance. Il laissa échapper un cri, lorsque son sperme se répandit sur le torse de Jamie. Ce dernier gémit, l'attirant à lui pour un baiser empli de ferveur.

Stephen embrassa son cou, ses joues, ses lèvres, le corps tremblant de chacune des secousses de plaisir qui le traversait.

Jamie écarta ses cheveux de son front.

— Tu es trempé.

Stephen ricana.

— Est-ce que tu es surpris ?

Il fronça les sourcils.

— Mais tu n'as pas…

Jamie l'empêcha de parler.

— Je n'y arrive pas toujours, d'accord ? Mais ça ne veut pas dire que ça n'était pas extraordinaire. Parce que c'était le cas.

Tout ce qu'il comptait dire d'autre fut perdu dans une série de gémissements et de cris qui émanèrent de la cour voisine. Stephen écarquilla les yeux et Jamie se couvrit la bouche alors qu'il tentait d'étouffer son rire. Ils restèrent figés l'un contre l'autre jusqu'à ce que les sons alentour s'éteignent.

— Je ne vais pas vous embarrasser davantage en passant la tête par-dessus la clôture, déclara une voix légèrement grognonne. Mais merci. C'était terriblement sexy.

— Vous auriez pu dire quelque chose, rétorqua Stephen. Vous savez, pour nous faire savoir que nous n'étions pas seuls ?

— Quoi, et gâcher le plaisir ? C'était la meilleure émission de porno en direct de tous les temps.

— Et ne vous inquiétez pas. Nous ne dirons rien à May, intervint une autre voix.

Ils entendirent le bruit d'une porte qui se fermait.

— Le moins qu'ils auraient pu faire, c'est de nous applaudir, bouda Jamie.

Ce fut tout ce qu'il fallut pour que Stephen éclate à nouveau de rire. Jamie glissa hors de son corps et Stephen s'étendit sur lui, afin de partager de longs baisers langoureux, leurs deux corps humides de sueur. Stephen n'arrêtait pas de le contempler.

— Il y a toujours une espèce d'éclat sur toi après le sexe, lui fit-il remarquer.

Jamie ricana.

— Ce n'est pas un éclat, c'est un coup de soleil.

— Hé, je te faisais un compliment. Je te disais à quel point j'aime voir ton regard d'homme bien baisé.

— Idem.

Jamie releva la tête et ricana.

— J'adore la façon dont tes cheveux se dressent sur ta tête. C'est mignon.

Il glissa ses mains dans le dos de Stephen.

— J'aime la sensation de ta peau qui transpire. J'adore la façon dont tu me regardes, comme si tu ne parvenais pas à croire que je suis là et que nous venons de faire l'amour.

— Je t'aime, déclara doucement Stephen. Chaque partie de toi. Même les parties qui ne fonctionnent pas.

Et maintenant qu'il avait enfin prononcé ces mots, il savait qu'il avait choisi le moment parfait pour le faire.

Jamie déglutit et des larmes inondèrent ses joues.

— Je t'aime aussi.

Il s'essuya les yeux.

— Tu n'as pas idée depuis combien de temps j'attends de t'entendre dire ça.

Stephen l'embrassa, lentement et longuement, et Jamie soupira. Lorsqu'ils se séparèrent, Stephen lui caressa les cheveux.

— Désolé de t'avoir fait attendre.

Jamie inclina sa tête vers la clôture.

— Merci d'avoir attendu qu'ils soient rentrés pour le dire.

Il sourit.

— Je pense que cela nous aurait valu une standing ovation. Mais ce moment n'était que pour toi. La semaine prochaine, je pourrai annoncer à toute ma famille que je t'aime.

— Ne fais pas ça, l'interrompit Jamie d'un baiser. Ne parlons pas de rentrer à la maison. Je veux savourer chaque instant de cette semaine, alors ne cachons rien. La maison, le travail, la routine… je ne veux pas y penser.

— D'accord. Une chose avant que je change de sujet et que nous puissions aller nager ?

Stephen l'embrassa une fois de plus, inhalant son odeur.

— À notre retour, je ne chercherai plus de maison.

Un autre baiser persistant s'ensuivit, mais cette fois, il pressa ses lèvres sur le torse de Jamie, à l'emplacement exact de son cœur.

— J'ai déjà trouvé ma maison.

D'ombres et de lumière

Chapitre 24

Jamie adorait lorsqu'ils étaient allongés comme ça au lit, chaque extrémité d'un oreiller entre leurs genoux alors qu'ils se faisaient face, connectés. Il savait qu'avant que le sommeil s'empare d'eux, Stephen comblerait l'écart entre eux et avancerait jusqu'à ce que leurs corps se touchent, et qu'il s'endormirait avec le bras de Stephen drapé autour de sa taille.

— Alors, à qui devons-nous le dire en premier… tes parents ou les miens ? lui demanda Stephen en lui caressant tranquillement le torse.

Jamie adorait son besoin constant de le toucher, afin de se rappeler leur connexion.

— J'y ai réfléchi.

Jamie attrapa la nuque de Stephen et l'attira à lui pour l'embrasser. Il ferma les yeux et apprécia la sensation de la bouche de Stephen et de sa main qui se refermait sur son cou, sans parler du soupir de contentement qui s'échappa d'entre les lèvres de son amant.

Stephen mit fin au baiser et s'écarta pour pouvoir le regarder dans les yeux.

— Était-ce un doux baiser ?

Il sourit.

— C'était plutôt un baiser parce que je ne t'avais pas embrassé depuis cinq minutes, alors j'ai ressenti le besoin de le faire. Et pour ce qui est de mes parents, j'ai un plan.

Stephen grogna.

— Oh mon Dieu. Est-ce que j'ai envie de savoir ?

Jamie lui fila un coup de poing dans le ventre.

— Hé !

— Écoute-moi au moins.

Jamie embrassa le bout de ses doigts et les pressa légèrement sur le torse de Stephen.

— Et je suis désolé.

— Je survivrai. Maintenant, raconte-moi ton plan.

— Et si nous organisions une fête ? Et que nous invitions tes parents, les miens, Liz, Phil…

Jamie souriait.

— Un petit rassemblement intime. De la nourriture de fête, de l'alcool, peu importe. Ensuite, nous faisons une annonce. Vois-le comme une fête sans engagement.

Stephen fronça les sourcils.

— Pourquoi faire ça ?

— Nous mettrions les chances en notre faveur. Mes parents nous soutiendront, parce que… eh bien, ils t'aiment déjà comme leur propre fils. On sait que ma sœur nous soutiendra, parce que j'ai des marques de talons là où elle n'arrêtait pas de me donner des coups de pied pour me pousser à te faire céder à mes charmes. Et Phil a l'air d'être un type bien. Nous aurons donc quatre personnes de notre côté.

Stephen hocha lentement la tête.

— Et mes parents seraient donc moins enclins à dire quelque chose de négatif qui les ferait passer pour des trous du cul. Ce ne sont pas des connards, tu sais.

— Non, je sais, convint Jamie. Ils me regardent et voient seulement les obstacles qui se dresseront sur notre route, c'est tout.

— Comme je le faisais, moi ?

Jamie caressa doucement la joue de Stephen.

— Tu apprends plus vite qu'eux. Pense s'y. Mes parents ont eu huit années pour apprendre à ne pas me sous-estimer. Combien de temps tes parents ont-ils eu ?

— Tu sais qu'ils vont dire que nous allons trop vite. Après tout, je ne suis revenu ici que le mois dernier.

Jamie soupira.

— Écoute-moi, mon petit bonhomme qui voit toujours le verre à moitié vide. Nous avons passé la plus grande partie de notre vie à nous préparer pour ça. Nous devions nous réunir à nouveau.

Il caressa la mâchoire de Stephen du bout de ses doigts.

— Tu es mon autre moitié.

Le cœur de Stephen enfla.

— De plus, nous leur dirons que nous sommes un couple, et non pas que nous allons nous marier la semaine prochaine.

Il sourit.

— D'accord, j'aime ton plan.

— Très bien. Nous pourrons en parler demain.

— Pourquoi pas maintenant ? Tu es fatigué ?

— Pas vraiment.

Il adorait la façon dont les yeux de Stephen s'illuminèrent.

— Oh ? Oh !

Jamie ricana.

— Je retire mon compliment quant au fait que tu apprends rapidement.

— Que puis-je faire pour compenser ma lenteur ?

La main de Stephen se refermait déjà sur sa queue.

— Continuer sur cette lancée, pour commencer.

Putain, le regard de Stephen est terriblement gratifiant...

Jamie jeta un dernier coup d'œil dans le salon. Tout était propre et bien rangé, parce que la mère de Stephen aurait été capable de remarquer une toile d'araignée à un mètre de distance. La nourriture était prête dans la cuisine, et des verres avaient été disposés sur la table basse.

Le champagne était au frigo.

— Je pense que nous sommes prêts, dit-il à Stephen qui se trouvait dans la salle de bain.

— Nous ferions mieux de l'être. Ils sont en route. Maman m'a envoyé un message.

Liz en avait déjà fait de même avec Jamie. Phil et elle venaient avec leurs parents.

— Tu sais ce que j'attends vraiment de cette soirée ? Que tes parents voient à quel point cet endroit est normal. Qu'il comprenne que tu vives dans une maison ordinaire, et non pas dans une maison remplie d'objets pour me faciliter la vie.

Stephen entra dans le salon en portant un jean noir et une chemise bleu pâle.

— Je pensais que c'était mon job ? Non pas que tu as réellement besoin de moi.

— Viens ici, dit doucement Jamie.

Il attira Stephen à lui pour un baiser. Lorsqu'il eut terminé, il plongea ses yeux dans ceux de son petit ami.

— J'aurai toujours besoin de toi, d'accord ?

Stephen déglutit.

— Idem.

Il se raidit.

— J'entends une voiture.

Il essaya de se redresser, mais Jamie ricana et l'attira à nouveau vers le bas pour un autre baiser.

— D'accord.

Ses parents étaient les premiers à arriver, et une fois les étreintes échangées, il demanda à Stephen de leur servir un verre. Sa mère le prit à part, et s'accroupit à côté de son fauteuil.

— D'accord. C'est pourquoi ?

Jamie l'observa avec un air innocent.

— Nous avions simplement envie d'organiser une fête.

Sa mère fronça les sourcils, mais ne répondit rien. Elle se leva et jeta un coup d'œil sur les murs.

— Tu as fait encadrer tes croquis.

— Oui, la plupart d'entre eux.

Personne ne verrait ceux qui étaient accrochés au mur de leur chambre.

— C'était l'idée de Stephen.

— Si tu décides un jour de renoncer à la conception de sites Internet, tu auras une belle carrière d'artiste devant toi.

Elle sourit.

— J'ai d'ailleurs gardé ta toute première peinture.

— Tu l'as fait ? Qu'est-ce que j'avais peint ?

Elle sourit.

— Stephen. Tu l'as dessiné lorsque tu étais à la maternelle. Je l'avais affiché sur le frigo pendant des mois.

Il écarquilla les yeux.

— Dis-moi que tu l'as gardé dans un endroit sûr.

Sa mère hocha la tête.

— Il se trouve avec tous tes autres chefs d'œuvres dans une boîte dans le grenier.

Il hésita.

— Chefs d'œuvres…

Sa mère lui pressa l'épaule.

— Ils le sont pour moi.

La sonnette résonna.

— Et voici le reste des invités.

Son pouls s'accéléra.

— Je ferais mieux d'aller les accueillir.

Il laissa sa mère dans le salon et se dirigea vers la porte d'entrée, en prenant une profonde inspiration.

Nous y voilà.

Le ventre de Stephen avait été rempli de papillon toute la soirée. Il pouvait voir à travers les regards échangés entre ses parents qu'ils savaient tous les deux que quelque chose se tramait. Pourtant, ils ne dirent rien. Et en parlant de dire quelque chose…

Il se rendit à la cuisine où Jamie sortait un plateau de collations du four.

— Quand penses-tu que nous devrions faire l'annonce ?

Jamie sourit.

— Laisse-moi commencer, d'accord ?

Stephen prit une manique et récupéra le plateau.

— Ils sont tous en train de bavarder. Nos mères se remémorent le passé.

— Bien sûr. Elles ont huit ans à rattraper.

Stephen était heureux qu'ils aient décidé d'organiser cette fête. Il était temps que leurs deux familles se retrouvent. Il déposa les collations sur un plateau de service, son estomac se tordant. Jamie posa une main sur son bras.

— Ça va aller.

Tout ce que Stephen désirait faire à cet instant, c'était de l'embrasser.

— J'aime ton optimisme.

Il baissa la voix et ajouta :

— Presque autant que je t'aime, toi.

— Alors allons partager la bonne nouvelle. Et Stephen ?

Les yeux de Jamie étaient emplis de chaleur.

— Je t'aime aussi.

Il n'y avait aucun moyen pour qu'il ne l'embrasse pas après ça. Il pressa ses lèvres contre celles de Jamie, et inhala son odeur familière. Puis il se redressa.

— Showtime.

Jamie ouvrit la voie jusque dans le salon, Stephen juste derrière lui. Il déposa le plateau sur la table basse.

— Voici d'autres apéritifs. J'ai entendu l'estomac de Phil grogner jusque dans la cuisine.

Phil ricana.

— Ce n'était pas moi, dit-il en jetant un coup d'œil en direction de Liz.

Elle le frappa sur le bras.

— Hé !

Jamie s'éclaircit la gorge.

— Pouvons-nous avoir votre attention, s'il vous plaît ?

Tous les regards se braquèrent sur lui, et Jamie jeta un coup d'œil significatif à Stephen. Ce dernier n'avait pas besoin de lire dans les pensées pour savoir que cela voulait dire : « ramène ton cul ici ». Il se joignit donc à Jamie en se tenant debout à ses côtés.

— Je sais que vous vous demandez très

certainement tous pourquoi nous avons organisé cette petite soirée, commença Jamie.

— Je n'ai vu aucun squelette ou zombie sur la pelouse devant la maison, ni d'araignées géantes qui grimpaient sur votre toit, alors je devine que ce n'est pas une fête d'Halloween en avance, plaisanta son père.

Jamie secoua la tête en direction de Stephen, les yeux brillants. Stephen secoua la tête.

— Non. Pas de zombies. Pas d'araignées non plus.

Jamie arbora sa moue habituelle.

— Oh oui. Alors… nous vous avons demandé de venir parce que nous avons quelque chose à célébrer.

Liz afficha un grand sourire.

— Oh, vraiment. Je n'arrive pas à imaginer ce que cela pourrait être.

Stephen lui jeta un coup d'œil d'avertissement.

— Stephen partage cette maison avec moi depuis un certain temps maintenant, alors qu'il économisait pour s'acheter une maison à lui. Il a abandonné cette idée.

Jamie l'observa avec un tel regard d'adoration que le cœur de Stephen gonfla, en comprenant que tout ceci allait être permanent. Il afficha un grand sourire.

— Je vais vivre ici. Avec mon petit ami.

Suite à quoi, il se pencha pour embrasser Jamie sur les lèvres. Le cri de Liz brisa le silence.

— Il était temps !

Elle se précipita et jeta ses bras autour de son frère.

— Félicitations, frangin.

Phil les rejoignit également, la main tendue en

direction de celle de Stephen. Maureen et David suivirent, les yeux brillants, affichant tous deux un large sourire.

Stephen jeta un coup d'œil à ses parents, qui se tenaient là, la bouche grande ouverte et le regard hébété. Stephen alla les voir toujours en souriant.

— Maman, papa ? Je n'ai jamais été aussi heureux de toute ma vie.

Son père s'éclaircit la gorge.

— Et je suis heureux d'entendre ça.

Il regarda brièvement Jamie.

— Es-tu certain de savoir ce que tu fais ? dit-il à voix basse.

Sa mère le poussa, et il fronça les sourcils.

— Tu dois penser la même chose toi aussi.

Sa mère soupira.

— Je suis contente que toi et Jamie soyez ensemble, vraiment je le suis. C'est approprié, quand on y pense. Mais…

Elle regarda son amant de l'autre côté de la pièce. Maureen se joignit à eux.

— Lorsque Jamie a eu son accident, commença-t-elle tout bas, nous avons tous dû traverser une période d'adaptation. Au début, nous pensions que nos espoirs et nos rêves pour son avenir étaient brisés. Ensuite, nous étions simplement heureux qu'il soit encore en vie. Au fil du temps, nous avons fait de notre mieux pour l'encourager, pour le pousser à faire ce qu'il voulait. Et il l'a fait, encore et encore. La seule chose qu'il n'avait pas réussie, c'était de trouver quelqu'un pour l'aimer.

— Nous l'avons vu sombrer dans le chagrin, et

passer de déception amoureuse en déception amoureuse, ajouta David en se joignant à eux. Et pendant tout ce temps, nous avons prié pour que quelqu'un perçoive le miracle qu'était notre fils. Quelqu'un qui verrait l'homme avec une énorme capacité d'amour. Quelqu'un qui l'aimerait vraiment comme il mérite d'être aimé.

Il sourit.

— Ce que nous n'avions pas réalisé, c'était que Jamie l'avait déjà rencontré.

Les yeux de sa mère brillaient.

— J'aime qu'ils se soient retrouvés. Je... tout ce que je veux, c'est que Stephen ait... une vie bien remplie.

Stephen l'observa alors que la compréhension commençait à poindre le bout de son nez sous son crâne.

— Mais c'est le cas, maman.

Il ricana.

— Tu dois me croire sur ce point. Et si tu as besoin d'être convaincue davantage, parle à grand-mère.

Sa mère cligna des yeux.

— Je vois.

Jamie se tourna vers eux.

— Est-ce que quelque chose m'échappe ?

Stephen ricana et s'empara de sa main. Ils en parleraient plus tard.

— Hé, ne pouvons-nous pas porter un toast au couple heureux ou quelque chose du genre ? s'écria Liz

Jamie serra sa main.

— Je vais chercher le champagne.

Il se dirigea vers la cuisine. Sa mère l'étreignit.

— Je suis tellement contente pour toi, chuchota-t-elle.

— Merci.

Il lui embrassa la joue. Son père lui serra la main.

— Si tu devais tomber amoureux de quelqu'un, je suppose qu'il n'y a personne de mieux que ton meilleur ami.

— Alors, qui sera conduit à l'autel en premier ? Vous deux, ou Phil et moi ? demanda Liz.

Stephen adora voir son beau-frère déglutir.

— Je ne savais pas que c'était une course, la taquina Jamie en entrant dans la pièce, la bouteille de champagne placée soigneusement sur ses genoux.

— Quoi qu'il en soit, nous ne sommes pas fiancés.

Il loucha en direction de Stephen.

— À moins que tu ne sois sur le point de te mettre à genoux et de sortir un anneau de ta… poche.

Ses yeux brillaient. Stephen ricana.

— Je n'avais pas prévu ça.

Et d'ailleurs, ça aurait probablement été un peu trop loin de la zone de confort de ses parents. Il prit la bouteille et l'ouvrit, en faisant sauter le bouchon aussi doucement que possible. Lorsque toutes les coupes furent remplies, tout le monde en prit une. Maureen leva son verre.

— À Jamie et Stephen. Que leur vie soit remplie de soleil.

Stephen fit teinter son verre contre celui de Jamie.

— Je bois à ça.

Épilogue

L'été suivant

— Oh mec, c'était génial ! déclara Jamie en se séchant avec une serviette.

— Tu as vu ?

— Je ne t'ai pas quitté des yeux.

Stephen posa une main sur son torse.

— J'avais des palpitations en te regardant rebondir sur l'eau.

Jamie ricana. C'était sa troisième séance sur le ski nautique adaptatif, et tout ce qu'il désirait, c'était y retourner. L'exaltation qu'il avait ressentie en tenant la barre et en écumant les vagues…

— Tu devrais essayer, suggéra-t-il. Nous pourrions le faire ensemble.

Stephen renifla.

— Je ne suis pas aussi brave que ça. Je vais te laisser faire le casse-cou.

Jamie rit de bon cœur.

— Tu as dit ça au sujet du ski, et pourtant tu as été fantastique sur les pistes.

Il ne put résister.

— Prochain arrêt : le parapente !

Stephen secoua lentement la tête.

— Non. Non. Non. Fin de la conversation. Parles-en à Phil. Il t'a déjà dit qu'il adorerait le faire.

Il jeta un regard dur sur Jamie.

— Et non, Jamie, « je te mets au défi » ne fonctionnera pas cette fois-ci.

Bon sang.

— Qui était cet homme avec qui tu parlais lorsque l'on est arrivé ? lui demanda Stephen.

Jamie sourit.

— C'est la meilleure partie. C'est un champion paralympique de wakeboard. Il a dit qu'il faisait des sauts et toutes sortes de tours.

— Wakeboard ?

Il hocha la tête.

— Tu montes ton wake sur une planche, sauf que dans son cas, il y a un siège spécial sur lequel il est attaché.

Jamie pensa qu'il valait mieux attendre plus tard pour dire à Stephen que le gars lui avait proposé de le laisser essayer.

— Il était skateboarder jusqu'à ce qu'il ait un accident. Maintenant, il est paraplégique lui aussi.

Il jeta un coup d'œil à sa tenue. Son short allait suffisamment sécher avec la température extérieure.

— Où est Marie ?

— Elle nous attend à la plage. Declan veut construire un château de sable avec Oncle Jamie. Ensuite, Natacha veut t'enterrer dans le sable et faire de toi un homme heureux.

Il ricana.

— Je n'y peux rien si ton neveu et ta nièce m'adorent.

C'étaient des enfants formidables, et il adorait les kidnapper lorsque Marie était occupée avec le bébé. Non pas qu'il n'aimait pas s'asseoir dans le rocking-chair avec bébé Owen.

— Elle m'a encore demandé ce matin si nous avions réfléchi à son offre.

Jamie enfila un T-shirt sec.

— Et que lui as-tu répondu ?

— Ce dont nous avons discuté hier soir. Je l'ai remercié d'avoir offert d'être notre mère porteuse, et je lui ai dit que nous apprécions vraiment son offre, mais que nous ne pouvions pas nous voir faire cela alors qu'il y a tant d'enfants qui ont besoin d'être adoptés.

Jamie hocha la tête. Lorsque Marie les avait fait asseoir pour leur faire part de sa proposition, il avait été époustouflé par sa générosité. Greg était aussi passionné par cette idée. Mais Jamie et Stephen en avaient parlé, jusque tard dans la nuit. Ils désiraient tous les deux des enfants, c'était évident, mais l'idée d'adopter leur paressait plus logique.

— En plus, elle a dit que l'accouchement de Wen avait été éprouvant pour elle.

Même si son offre était désintéressée, ils ne l'obligeraient pas à supporter une autre grossesse juste pour eux. Stephen ricana.

— Puis je lui ai dit que nous étions déjà occupés avec Lou et Bud.

Jamie leva les yeux au ciel.

— Si la parentalité, c'est comme s'occuper de deux teckels hyperactifs, nous allons être épuisés.

Stephen ricana.

— J'ai parlé avec ta mère ce matin. Elle est déjà épuisée, et elle ne les a eus que quatre jours.

Il roula le long de la jetée, et se dirigea vers l'endroit où Stepen avait garé la voiture de location. Leur première visite à Carmel avait été parfaite jusqu'à présent. Jamie pouvait comprendre pourquoi son amant avait adoré ce climat. C'était leur dernière soirée avant qu'ils ne doivent se rendre à San Diego.

Jamie espérait qu'il faisait le bon choix.

— Je pense que tu feras un père merveilleux, déclara Stephen alors qu'ils approchaient de la voiture. Mais peut-être que nous devrions nous pencher plus sérieusement sur la question lorsque nous rentrerons à la maison ? Peut-être que nous pourrions nous inscrire dans certaines agences d'adoption ?

Il s'énerva.

— Qui voudront probablement que nous sautions à travers plusieurs centaines de cerceaux enflammés avant même de pouvoir adopter un enfant.

Jamie y avait également réfléchi.

— Et si les pouvoirs en place étaient plus heureux si nous avions un bout de papier avant de nous lancer dans cette aventure ?

Stephen sourit en déverrouillant la voiture.

— Dans ce cas, je me mettrai à genoux et je sortirai un anneau de ma… poche.

Ses yeux scintillèrent.

— Ça ne me dérangerait pas de me marier. Et toi ?

Jamie haussa les épaules en soulevant ses jambes dans la voiture.

— Peut-être un jour. Je ne suis pas certain d'être prêt.

Il garda une intonation volontairement neutre, même si son pouls s'accéléra. Il regarda Stephen, juste à temps pour le voir froncer les sourcils.

Ah ah.

Stephen ne dit rien alors qu'il pliait son fauteuil et le plaçait dans le coffre. Jamie l'observa ensuite grimper dans la voiture.

— Ça va ?

— Oui, ça va.

Stephen alluma le moteur.

— Allons construire un château de sable.

Jamie se pencha et caressa sa cuisse.

— Je t'aime.

Stephen porta la main de Jamie à ses lèvres et l'embrassa.

— Je t'aime moi aussi.

Il sortit du parking et ils se dirigèrent le long de la route côtière jusqu'à la plage que Marie et les enfants fréquentaient habituellement.

— Notre voyage à San Diego demain te convient toujours ?

— Bien sûr.

Jamie jeta un coup d'œil dans sa direction.

— Tu n'as pas l'air très sûr de toi.

Stephen haussa les épaules.

— Je ne comprends pas très bien pourquoi tu veux

que nous y allions.

— Je te l'ai déjà dit. J'ai envie de voir où tu as grandi. Ton lycée, la plage où tu jouais, la maison où tu vivais…

— Et c'est la seule raison ?

Jamie soupira.

— Je pense qu'il est également temps d'exorciser certains de tes… fantômes.

— Maintenant, tu es honnête.

Stephen garda son regard fixé sur la route.

— Tu penses vraiment que nous devons le faire ?

— Oui. Et je te demande de me faire confiance à ce sujet.

Son cœur battait la chamade.

— Allez, Stephen. Fais-moi confiance.

Il y eut une pause, mais Stephen hocha finalement la tête.

— D'accord. Nous irons à San Diego.

Puis il ricana.

— Et puis, tu as déjà acheté les billets d'avion et réservé pour nous à l'hôtel, alors nous ferions tout aussi bien d'en profiter.

Jamie serra la main de son amant.

— Merci, déclara-t-il sincèrement.

S'il te plaît, Seigneur, fais que les choses se passent comme prévu !

— C'était merveilleux de vous avoir tous les deux chez nous.

Marie versa une autre tasse de café à Stephen.

— Seulement, restez plus longtemps la prochaine fois, d'accord ?

Il se pencha sur sa chaise et observa Jamie et Natacha se battre sur sa PlayStation. Apparemment, Jamie était en train de gagner.

— Tu retournes travailler la semaine prochaine ?

Stephen hocha la tête.

— Il m'a dit qu'il y a une pile de dossiers sur mon bureau qui n'attendent que moi.

— Est-ce que Jamie s'occupe toujours de la confection de sites Internet ? lui demanda Greg.

— Oui, mais il a quelque chose d'autre en route en ce moment. Et c'est un peu… différent.

Ce qui était un euphémisme.

— Dis-nous tout.

Les yeux de sa sœur brillèrent.

— C'est une sorte de projet artistique.

Stephen regarda à nouveau vers le canapé où Natacha était assise avec Jamie, puis baissa la voix.

— Il est en train d'écrire un guide sur les positions sexuelles pour les personnes handicapées.

— Sérieusement ?!

Sa sœur écarquilla les yeux.

— Oui. Il fait toutes les illustrations lui-même.

Marie jeta un coup d'œil en direction de Jamie.

— Apparemment il a travaillé dur sur ses

compétences de dessin depuis qu'il était enfant. Si je me souviens bien, il avait besoin d'avoir un modèle face à lui pour pouvoir le dessiner.

Stephen hocha la tête.

— Sa mémoire visuelle est toujours aussi mauvaise.

— Alors comment… dessine-t-il ?

Stephen grogna.

— Un mur de notre chambre est recouvert de photos… de nous. Il a installé un appareil photo dans un coin, puis nous…

Il était presque certain que ses joues étaient écarlates en cet instant.

— À quel point ces illustrations sont-elles graphiques ? voulut savoir Greg.

Jamie choisit ce moment précis pour jeter un coup d'œil par-dessus son épaule et lui sourire, avant de retourner à son jeu vidéo. Stephen ricana.

— Ne pose pas la question. Je pense que j'ai accepté seulement parce que ce sont des esquisses réalisées au crayon.

— Et il va être publié ? s'enquit sa sœur.

Il hocha la tête.

— Il sortira l'an prochain, d'après ce qu'on sait.

Elle sourit.

— Je vais m'assurer d'en acheter un exemplaire.

Il observa Marie avec consternation.

— Pourquoi ferais-tu ça ?

— Je veux pouvoir le montrer à toutes les personnes que je rencontrerai. Je leur dirai, regardez ce que le partenaire de mon frère a fait.

Elle souriait comme une folle.

— Elle se moque de toi, le rassura Greg. Elle va probablement le donner à un de nos couples d'amis. L'un d'eux est paraplégique.

Il l'observa fixement.

— Parce que je suis certain qu'elle ne le regarderait pas simplement pour voir à quoi ressemble le partenaire de son frère nu, n'est-ce pas ?

— Oh, absolument pas.

Elle papillonna des yeux d'un air innocent en direction de son mari. Stephen secoua la tête.

— C'est incroyable. Liz et toi vous pourriez être sœurs.

Que Dieu les en préserve…

— Combien de temps allez-vous passer à San Diego ? lui demanda Marie.

— Quelques jours. Juste assez de temps pour montrer à Jamie mes vieux repères.

Ce qui était exactement ce qu'ils étaient. Marie observa Jamie, puis tendit la main en direction de Stephen.

— Tu n'es plus le même homme que lorsque tu vivais là-bas.

— Tu crois ?

Elle lui sourit.

— Être avec Jamie t'a changé.

— J'avais besoin de changer, n'est-ce pas ?

Non pas qu'elle avait tort. Même lui pouvait le voir. Jamie avait à nouveau apporté de la lumière dans sa vie.

— Tu vois les choses différemment maintenant,

c'est tout. C'est comme si tu percevais le positif dans toutes les situations, alors qu'avant…

— Oui, je sais. C'est difficile d'être négatif quand on vit avec quelqu'un comme Jamie.

Il remerciait chaque jour Dieu pour son envie de s'être laissé aller à la nostalgie. S'il n'était pas allé à l'étang ce jour-là… Il jeta un coup d'œil à son amant. Quelques secondes plus tard, Jamie se tourna pour croiser son regard.

Le sien disait je t'aime…

Celui de Jamie lui répondait : moi aussi.

Stephen s'arrêta sur le seuil.

— Dis-moi encore pourquoi nous sommes ici ?

Il n'avait pas mis les pieds dans ce bar gay de San Diego depuis plus d'un an, et n'était pas certain de vouloir le faire en cet instant. Cet endroit ne recelait aucun bon souvenir. Jamie lui prit la main.

— Nous sommes ici parce que tu m'as parlé de cet endroit… et que j'avais envie de le voir par moi-même. D'ailleurs, cette fois-ci, tu entreras pour y boire un verre, sans chercher de rencard. D'accord ?

Il lui sourit.

— Parce que tu as déjà rencontré l'homme de ta vie. Moi.

Il ricana.

— Allons-y. Je me demande si ça a beaucoup changé.

Il ouvrit la porte et la tint pour Jamie, puis le suivit. La musique était plus forte que jamais, les lumières tout aussi vives et colorées. Des hommes se tenaient autour du bar en train de boire, de parler, et beaucoup de regards se portèrent immédiatement dans leur direction, et en particulier vers le fauteuil de Jamie. Puis tous retournèrent à leurs boissons et à leurs conversations.

— Il y a une table là-bas, déclara Jamie en en désignant une qui se trouvait juste au bord de la piste de danse. Je vais aller la réserver, pendant que tu vas nous chercher une boisson.

Stephen se posta devant le bar et commanda deux verres. Un coup d'œil aux clients lui révéla qu'il ne reconnaissait personne, du moins, personne qui ne lui avait causé de la détresse par le passé… et il en fut reconnaissant. Mais il aperçut beaucoup d'hommes qui avaient été des visiteurs fréquents. Ils étaient clairement en train de faire ce qu'ils avaient toujours fait. Ils étaient à l'affût de quelqu'un qui ferait une différence dans leur vie.

Il emmena les verres à l'endroit où Jamie était assis, puis le rejoignit, en observant autour de lui. Quelquefois, il entrevoyait une expression qu'il ne connaissait que trop bien. Ce regard de désir, de recherches, d'espoir…

— Ce n'est plus qui tu es, lui dit Jamie par-dessus la musique.

Stephen secoua la tête dans sa direction.

— Comment as-tu su… ?

— C'est pour cette raison que je t'ai fait venir ici.

Il désigna certains des hommes qui les entouraient.

— Tu étais comme eux autrefois. Regarde leurs visages. Parviens-tu à te voir en eux ?

Il hocha la tête.

— Je pensais la même chose lorsque je me rendais ici.

— Mais comme je te l'ai dit, ce n'est plus l'homme que tu es. Qu'est-ce qui te rend différent ?

Stephen examina attentivement sa question.

— C'est peut-être parce que j'ai finalement trouvé ce que je cherchais.

— Penses-tu toujours que tu sois un loser ?

Stephen sourit.

— Non. Plus maintenant. J'ai une bonne vie. Un emploi correct. Un foyer. Une famille élargie qui m'adore.

Il croisa le regard de Jamie.

— Un partenaire qui m'aime.

Jamie hocha la tête.

— Et si tu le souhaites… un mari.

Stephen observa fixement la petite boîte noire que Jamie venait de retirer de sa poche, le cœur battant à tout rompre.

— Je… je pensais que tu n'étais pas prêt à te marier.

Jamie lui sourit.

— J'ai menti. En réalité, que pourrais-je faire pour me rattraper d'avoir été un gros menteur ? J'ai acheté cette bague à Boston et je l'ai apportée avec moi, pour te faire ma demande ici. Bien sûr, je suis incapable de me mettre à genoux, mais c'est l'intention qui compte.

Il jeta un regard significatif vers Stephen.

— Alors, tu as une réponse pour moi ?

Stephen cligna des yeux.

— Tu ne m'as pas encore posé la question.

Jamie rétrécit brièvement son regard.

— D'accord. Stephen Taylor, veux-tu m'épouser ?

Autour d'eux, certains des hommes se turent, et leur attention se concentra sur Stephen et Jamie. Stephen croisa les bras devant son torse.

— Je ne sais pas. Je n'ai pas encore vu la bague.

Cela provoqua une vague de rires. Jamie leva les yeux au ciel, et ouvrit l'écrin.

— Voilà. Satisfait ? Et avant que tu ne poses la question, elle est à ta taille.

— Dans ce cas, oui, je veux t'épouser.

Jamie leva les yeux au ciel alors que des applaudissements éclatèrent tout autour :

— Alléluia !

— Hé, mon grand. Est-ce que vous venez tout juste de vous fiancer ? hurla le barman.

Davantage d'hommes se pressèrent autour d'eux, mais Stephen n'eut d'yeux que pour Jamie.

— Oui, nous l'avons fait.

Stephen se leva de sa chaise, contourna la table, se pencha, et embrassa Jamie sur les lèvres, alors que d'autres applaudissements retentirent. Puis, il regarda Jamie droit dans les yeux.

— Sais-tu à quel point je suis heureux en ce moment ?

Jamie afficha un sourire éblouissant.

— Moi aussi. J'ai fait ce que je voulais faire de ma vie.

— C'était ton but… de m'épouser ?

Il ricana.

— Non, idiot. Me marier avec toi est la cerise sur le gâteau.

Il ancra son regard à celui de Stephen.

— Je comprends, tu sais. Tu as passé la majeure partie de ta vie à ne voir que les problèmes qui t'attendaient, tapis dans l'ombre.

Il sourit.

— Mon but était de te faire voir au-delà des ombres pour embrasser la lumière. Parce que c'est là que je t'attendais.

Stephen lui sourit.

— Ça semble presque poétique. Est-ce que tu as déjà pensé à tout ça ?

Jamie secoua la tête.

— Je n'ai pas cessé de penser à ça depuis que tu es revenu dans ma vie.

Stephen l'embrassa encore une fois.

— Tu sais quoi ? J'aime bien être ici dans ta lumière. Je pense que je vais y déménager de façon permanente.

— Quoi… dans ce bar ? se moqua Jamie.

Stephen leva les yeux au ciel.

— Je vais finir mon verre, puis nous retournerons à l'hôtel. Nous allons oublier le tourisme, et nous contenter de me rappeler que je suis vivant. Nous ne quitterons pas notre chambre d'hôtel avant de devoir prendre un taxi pour l'aéroport.

Jamie ricana.

— À quoi allons-nous donc bien pouvoir occuper notre temps ?

Stephen ricana à son tour.

— Tu es un type intelligent. Tu trouveras quelque chose.

Jamie se mordit la lèvre.

— Il y a quelque chose que je désirai faire depuis un certain temps.

— Qu'est-ce que c'est ?

Stephen était certain que sa voix n'avait jamais été aussi rauque.

— Il y a toute une série de positions sexuelles en fauteuil roulant que je désirai dessiner pour le guide.

Les yeux de Jamie scintillèrent.

— Pense à combien de positions nous pourrions essayer pendant que nous sommes dans cette chambre d'hôtel.

— Ne l'avons-nous pas déjà fait ?

Jamie écarquilla les yeux.

— Mec, on en a à peine effleuré la surface !

Soudain, Stephen se calma.

— Tu vas me dire que tu as apporté ton carnet de croquis et tes crayons avec toi ?

Il étrécit son regard dans sa direction.

— Tu avais planifié tout ça.

Jamie sourit.

— Oups. Je suis démasqué.

— Alors, qu'attendons-nous ?

Stephen s'empara de son portable.

— Qu'est-ce qui, selon toi, arrivera en premier ici… taxi, uber ou Lyft ?

Fin

As-tu découvert ces livres de K.C. Wells ?

Les hommes du Maine (série)

Levi, Noah, Aaron, Ben, Dylan, Finn, Seb et Shaun. Huit copains qui se sont rencontrés au lycée à Wells, dans le Maine.

Malgré des passés et des choix différents, une chose est toujours aussi solide après les huit années écoulées depuis la fin de leurs études : leur amitié. Vacances, mariages, enterrements, anniversaires, fêtes en tout genre ; ils saisissent le moindre prétexte pour se retrouver. C'est l'occasion de parler de ce qui se passe dans leurs vies, et plus particulièrement dans leurs vies amoureuses.

Au lycée, ils savaient que quatre d'entre eux étaient gays ou bi, ce n'était donc peut-être pas une coïncidence qu'ils se soient rapprochés de la sorte. Au fil des ans, des révélations et des prises de conscience ont eu lieu, certaines plus surprenantes que d'autres. Ce que les sept autres ignoraient, cependant, c'était que Levi était amoureux de l'un d'entre eux…

Le fantasme de Finn (tome 1)

Un désir secret

Le jour, Finn construit des maisons le long de la côte du Main. La nuit, il rêve du gars plus âgé qui promène son labrador chocolat le long de la plage de Goose Rocks. C'est l'homme de ses rêves, qui répond à toutes ses exigences : crinière poivre et sel, mâchoire virile, yeux bleus.

C'est l'homme parfait, idéal pour alimenter ses fantasmes. De là à trouver le courage de lui parler ?

Pas question. Leurs chemins ne se croiseront jamais, et de toute façon, il est sûrement hétéro.

Un nouveau chapitre

Tout juste divorcé, Joel peut enfin assumer son homosexualité, même s'il n'est pas certain d'être prêt à s'investir dans une nouvelle relation. Ce qui ne l'empêche pas de remarquer la carrure due à de nombreuses heures de travail physique de son nouvel ouvrier, ainsi que ses yeux couleur tempête. Ou encore la façon dont il porte sa ceinture à outils très bas sur sa taille. La cerise sur le gâteau ? Finn n'est pas juste une belle gueule. Il pourrait bien être l'homme idéal avec qui partager de longues promenades sur la plage et des soirées au coin du feu.

Toutefois, Joel n'a pas fréquenté un autre homme depuis vingt ans. Même s'il n'a pas oublié comment draguer, faire le premier pas le terrifie.

Surtout vers Finn.

Bears in the Woods (Edition Française)

La cabane isolée qu'a louée Jim Traynor est exactement ce dont il a besoin : elle est calme et tranquille, ce qui est parfait pour venir à bout de la rédaction de son dernier roman, et lui fournir peut-être suffisamment d'inspiration pour commencer à écrire une nouvelle saga. Il y a même un petit chien adorable du nom de Buster pour lui fournir une douce distraction. Cependant, les propriétaires de Buster lui offrent une distraction d'un tout autre genre. La détermination de Jim à se concentrer sur son travail ne l'empêche pas de donner vie à de délicieux fantasmes, mais chacune de ses entrevues avec Julien et Michael ne fait qu'accroître son désir.

Julien et Michael se sont construit une merveilleuse vie ensemble. Jusqu'à l'arrivée de Jim qui va tout remettre en question. Julian est immédiatement attiré par le tranquille écrivain et est bien conscient du lien qui s'intensifie chaque jour entre eux. Michael ressent la même attraction magnétique, mais reste hanté par le passé : ils ont déjà emprunté cette voie. Et Michael ne laissera pas Julian avoir à nouveau le cœur brisé. Il s'efforce de résister, mais à chaque nuit qui passe, il tombe amoureux de Jim aussi intensément que Julian.

Les deux hommes savent que Jim ne pourra les blesser que s'ils le laissent entrer dans leurs vies. Le problème, c'est que Jim semble déjà s'y être fait sa place. Et que le jour viendra où il devra faire un choix.

Mais cette fois, combien de cœurs finiront brisés ?

À propos de l'auteur

K.c Wells vit sur une île au large de la côte sud du Royaume-Uni, entourée par sa beauté naturelle. Elle écrit sur les hommes qui aiment les hommes et ne peut même pas envisager une vie qui n'inclut pas l'écriture.

Le tatouage en forme de rose arc-en-ciel sur son dos accompagné des phrases « *Love is love* » et « *Love Wins* » est sa façon de hisser son propre drapeau. Elle projette d'écrire sur des hommes amoureux… qu'ils soient doux et prennent leur temps, ou torrides et un brin pervers… pendant encore un long moment.

****

Alter Ego

Elle écrit également des livres érotiques gay sous le nom de : Tantalus.

Pour ceux qui aiment les histoires intensément érotiques, mettant en vedette des hommes sexy à souhait et du sexe plus que chaud… Qui ne craignent pas de briser les tabous de temps à autre… Qui veulent lire quelque chose qui ajoute un peu de piment à leurs fantasmes… il y a les romans de Tantalus.

Parce qu'on a tous besoin d'un peu d'excitation, Tantalus est l'alter ego plus sexy et plus osé de K.c Wells.

Titres

En français

Sensual Bonds
Le lien des Trois

Merrychurch Mysteries
Au nom de la verité

Love, Unexpected
Dette

Dreamspun Desires
Le secret du Sénateur
Sortir des Ombres

Premières Fois
Pas à Pas
Pour la vie

Colliers et Menottes
Un Cœur Déverrouillé
Croire en Thomas
Te Protéger
Valse Hesitation

Secrets – with Parker Williams
Avant que tu te brises
Un Esprit Libéré

Personal
Une Affaire Personnelle
Changements Personnels

Plus Personnel
Secrets Personnels
Strictement Personnel
Défis Personnels
La série complète

L'art et la matière
Dentelle
Satin

Les hommes du Maine
Le fantasme de Finn

Bears in the Woods (Edition Française)

Cher Père Noël
Connexion

Printed in Great Britain
by Amazon

77692172R00205